Sinfonia em branco

Adriana Lisboa

Sinfonia em branco

2ª edição
1ª reimpressão

ALFAGUARA

Copyright © 2001, 2013 by Adriana Lisboa

Grafia atualizada segundo o Acordo Ortográfico da Língua Portuguesa de 1990, que entrou em vigor no Brasil em 2009.

Capa
Marianne Lépine

Tradução do prefácio
Maria Alzira Brum Lemos

Revisão
Tamara Sender
Fatima Fadel
Rita Godoy

CIP-Brasil. Catalogação-na-fonte
Sindicato Nacional dos Editores de Livros, RJ

L75s
    Lisboa, Adriana
        Sinfonia em branco / Adriana Lisboa. – 2ª ed. – Rio de Janeiro: Objetiva, 2013.

        ISBN 978-85-7962-226-7

        1. Romance brasileiro. I. Título.

                               CDD:869.93
13-01551   CDU:821.134.3(81)-3

[2021]
Todos os direitos desta edição reservados à
EDITORA SCHWARCZ S.A.
Praça Floriano, 19, sala 3001 — Cinelândia
20031-050 — Rio de Janeiro — RJ
Telefone: (21) 3993-7510
www.companhiadasletras.com.br
www.blogdacompanhia.com.br
facebook.com/editora.alfaguara
instagram.com/editora_alfaguara
twitter.com/alfaguara_br

Sumário

Prefácio	7
Uma borboleta, uma pedreira proibida	15
Trio para trompa, violino e piano	51
Vermelhas rosas vivas	81
"Si ch'io vorrei morire..."	107
As versões oficiais	123
Sinfonia em branco	147
Florian	171
Nove horas (no horário brasileiro de verão)	191
Hora extra	209
Um fabuloso anel comprado em Veneza	227
O fio de Ariadne	247
Treze anos e catorze verões	269
Festa junina	275
A porta aberta	295
A alma do mundo	307

Prefácio
Ninguém conseguiu esquecer

A alma dos leitores é voraz: devora livros e as ideias que os livros contêm, engole personagens e autores e vai fundindo tudo na escuridão insondável que nos habita e que é onde, dizem, se produz o ato criativo. Deste lugar nascem Vênus de pedra, retábulos pintados, papéis que são música, as ideias que nos fazem crescer e alguns personagens que definem seu tempo. Dom Quixote, Gabriela, Blimunda, filhos da invenção humana que fugiram do magma escuro e se incrustaram na nossa pele para não sair e assim se confundir com o nosso melhor eu.

Há alguns anos, fiz parte de um júri que deveria outorgar um prêmio literário. Ser jurado não é uma tarefa grata, pois supõe tomar decisões que afetam a vida das pessoas. Optar é, antes de tudo, deixar outros na margem, e não é uma tarefa fácil para o ouvido ser capaz de distinguir as vozes que surgem dos livros pedindo atenção e mais ar, mas nas reuniões sérias de jurados sérios não vale a compaixão, devem-se reconhecer sons e esperar, lendo, que chegue a hora, isto é, o livro.

No ano em que se apresentou uma obra de Adriana Lisboa eu soube imediatamente que esta receberia o prêmio. Os outros jurados também souberam e, assim, Adriana Lisboa recebeu das mãos de José Saramago a distinção que lhe era devida. O prêmio foi integrado à capa de seu livro e às traduções que vieram depois, ela se dispôs, depois da festa, a continuar escrevendo e todos os envolvidos — José Saramago, Adriana Lisboa, os jurados, os editores — a continuar sua vida com outros títulos, pois este, atingido o topo do reconhecimento, entraria, pelo menos para aqueles que já o tinham lido, na escuridão mencionada anteriormente, daqueles milhares de livros que definem uma pessoa como culta, mas sobre os quais, muitas vezes, não se podem dar detalhes. Com *Sinfonia em branco,* de Adriana Lisboa, não foi assim.

Literatura é estilo, dizem os que entendem. *Madame Bovary* não é a história de um adultério, é o autor e sua sensibilidade escrevendo as contradições, os anseios e perplexidades da humanidade que leva, à base de profunda reflexão, cravados no ventre e o obrigam a gritar como só os escolhidos fazem, voz que é música, música que é pensamento, obra que é arte e tudo junto é o desejado estilo, a literatura. Não vou comparar Adriana Lisboa com Flaubert porque não é o caso, nem o momento, nem a melhor maneira, mas me sinto compelida a dizer que *Sinfonia em branco* participa deste espírito, contar contando-se, não como sujeito pessoal e intransferível, mas como parte de um todo tão antigo quanto a terra, duro e pesado como o crime mais repetido e abominável. Talvez por isso o magma escuro não tenha engolido o livro de Adriana Lisboa nem Clarice, e anos depois de tê-lo lido sou capaz de me lembrar de passagens e personagens com o mesmo estremecimento de então, quando era membro de um júri e tinha que decidir, e decidi.

Adriana Lisboa conta com maturidade surpreendente episódios surpreendentes que poderiam estar, e estão, na Bíblia. Com naturalidade, e esta maturidade muda de paisagem, entra nos ambientes cosmopolitas e depois retorna a um mundo de costumes rurais e silêncios. Nada escapa ao bisturi da autora, o amor, o ódio, o desprezo, o crime, a expiação, a impossibilidade do esquecimento. Brinca com o tempo como um elástico ou uma tela onde tudo é presente, de modo que as irmãs crescem ou são meninas, mulheres maduras às vezes, noutras derrotadas, perseverantes, incapazes ou fortes para dar forma ao ressentimento e ao rancor. Tudo se cruza, passa pelas páginas, prende o leitor com a prova de que tem nas mãos um livro de peso. Não é fogo de artifício ou moda de um dia, pois este livro conta com estilo próprio paixões humanas, descreve a matéria de que todos nós estamos feitos, escritores, leitores e personagens, e faz isto com voz poética e moderna, sem truques, mas com a complexidade de quem domina o ofício, também chamado arte de escrever.

Passaram anos desde que li o livro que você, querido leitor, tem em mãos, mas para tramar estas linhas não precisei voltar a ele, tão nítido e fresco permanece em minha experiência de leitora. Quando as notícias dos meios de comunicação dão conta de situações como a que esta obra reflete — o incesto —, as imagens recorrentes para explicar o inexplicável, ou seja, o sofrimento e os medos da vítima, me chegam deste livro. E a resolução da questão, como acontece no romance, é um segundo ponto que me faz refletir: apenas o uso da razão é capaz de evitar o aplauso da atrocidade que é que cada um aplique a justiça como entenda.

Brasil, este nosso tempo, todos os tempos. A cumplicidade de duas irmãs, o amor, o crime, o véu de silêncio que tudo quer ignorar, o castigo, a consciência luminosa, a frivolidade, os fortes desejos de viver, esculpir uma obra que não morra, nem sinta, nem sofra, de viajar para longe de si mesmo para voltar a si mesmo limpo, intacto, perfeito... Com estas notas e outras mais está composta a *Sinfonia em branco* que Adriana Lisboa escreveu sendo quase uma menina e cativou um escritor que já era mais velho e mais sábio. Portanto, este livro leva o selo Prêmio José Saramago. Nada mais, nada menos.

Pilar del Río
Presidente da Fundação José Saramago

Sinfonia em branco

Si c'est inutile de pleurer, je crois
qu'il faut quand même pleurer.
Parce que le désespoir c'est tangible.
Ça reste. Se souvenir du désespoir,
ça reste. Quelquefois ça tue.

[Se é inútil chorar, creio
que ainda assim é preciso chorar.
Porque o desespero é tangível.
Permanece. A lembrança do desespero
permanece. Às vezes mata.]

Marguerite Duras

Uma borboleta, uma pedreira proibida

Ainda havia algum tempo antes que ela chegasse.

A tarde abafada de verão descolava-se da estrada sob forma de poeira e se espreguiçava no ar. Tudo estava quieto, ou quase quieto, e mole, inchado de sono. Um homem de olhos muito abertos (e transparentes de tão claros, coisa que não era comum) fingia vigiar a estrada com seus pensamentos. Na verdade, os olhos mapeavam outros lugares, vagavam dentro dele, e catavam cacos de memória como uma criança que colhe conchinhas na areia da praia. Às vezes o presente se intrometia, se interpunha, e ele pensava vou usar *terra* em meu próximo trabalho. Mas então o mundo marrom e ressecado e empoeirado contraía-se novamente para ver passar um branco virginal, uma moça vestida de branco que evocava um quadro de Whistler.

Tomás lembrava-se dela. O amor. Onde estaria?

O amor era como a marca pálida deixada por um quadro removido após anos de vida sobre uma mesma parede. O amor produzira um vago intervalo em seu espírito, na transparência dos seus olhos, na pintura envelhecida da sua existência. Um dia, o amor gritara dentro dele, inflamara suas vísceras. Não mais. Mesmo a memória era incerta, fragmentada, pedaços do esqueleto de um monstro pré-histórico enterrados e conservados pelo acaso, impossível recompor um todo íntegro. Trinta anos depois. Duzentos milhões de anos depois.

O cachorro dormia aos pés de Tomás, e sonhava, sem a memória de uma moça vestida de branco. Às vezes gemia. Em dado momento levantou a cabeça preta e branca num sobressalto e começou a morder a pata para tirar dali um bicho-de-pé. As galinhas-d'angola da cozinheira Jorgina repetiam o bordão *tô-fraco, tô-fraco* que ela escutava sem ouvir. Uma tarde baça e gasta, como um pedaço de borracha velha, um pneu careca. Um fóssil, duzentos milhões de anos.

As buganvílias floresciam de um jeito selvagem, quase agressivas, os galhos deselegantes se impondo sem pedir licença e os espinhos contradizendo a delicadeza da flor. Aquelas buganvílias já estavam ali bem antes de Tomás chegar. Quem sabe permaneceriam depois que ele, de um jeito ou de outro, se fosse.

O cachorro, que não tinha nome ou dono, que simplesmente elegera como sua aquela casa e entendera como seus os restos de comida que a cozinheira passara a pôr duas vezes por dia sobre uma folha de jornal, junto ao tanque, terminou sua operação de remoção de bicho-de-pé e voltou a dormir seus sonhos misteriosos.

Como os sonhos dos bebês. Tomás se perguntara muitas vezes que espécie de sonhos formigaria na mente de um recém-nascido. Teria lembranças do útero e faria sonhos líquidos e avermelhados? Por um momento fantasiara: que um bebê sonharia com o momento de sua concepção, como se o tivesse testemunhado, como se tivesse acompanhado passo a passo, observador atento, as fases de seu próprio desenvolvimento, um emaranhado de células a que os cientistas foram dando nomes sem poesia, mórula, blástula, gástrula (era isso mesmo?), um embrião, um feto. Que carregaria a emoção quase consciente de identificar desde o princípio, desde o óvulo fecundado, como uma informação genética: sua mãe.

Seu pai.

Seria assim? Não se podia ter certeza.

Os olhos claros de Tomás vez por outra ficavam úmidos, um certo cacoete o acompanhava desde a infância, aquele de manter os olhos abertos sem pestanejar pelo máximo de tempo possível, numa aposta cruel consigo mesmo da qual sairia sempre ganhador e inevitavelmente perdedor. Terminava lacrimejando. Então, na tarde abafada e seca, Tomás libertou de seus olhos dois fiapos prateados que ninguém viu, nem o cachorro, nem a cozinheira Jorgina. Haveria palavras escondidas naquelas lágrimas? Ou seriam lágrimas além das palavras, além do mundo, além da tarde sonolenta e do verão intenso que vinha cavar com os dedos os poros dele mesmo ali naquele refúgio?

Não era um homem feliz. Nem infeliz. Sentia-se *equilibrado,* e para isso pagara o preço que achava justo e recebia os cabíveis juros-dividendos-correção-monetária. Abdicara de alguns territórios. Desistira da fantasia de um império. Reinava apenas sobre si mesmo e sobre aquele casebre esquecido no meio de lavouras de importância nenhuma e estradas de terra que viravam poeira na seca e viravam lama na estação das chuvas e não tinham o hábito de conduzir ambições. Quando fora viver ali (mas não por causa disso), ele sabia: o fim dos sonhos. E agora pensava em talvez usar terra em seu próximo trabalho, em sua próxima tela, terra e tinta — ? Seu pensamento era tão pequeno. Tão pequeno. Do tamanho de um gesto de perfume que uma mulher largasse no ar.

No céu muito distante um avião passou quase sem fazer barulho, alto, não havia aeroporto nas proximidades, certamente dirigia-se para o Galeão ou para o Santos Dumont, na capital. A cozinheira Jorgina, que perdera a maior parte dos dentes e agora exibia orgulhosa uma dentadura muito branca, aproximou-se silenciosa de Tomás e colocou uma xícara de café fumegante, cheirando bem, na mesinha de ferro batido da varanda. Não era uma mulher de muitas palavras, na verdade não gostava delas. Pensava, sem pensar, que eram traiçoeiras como um bicho que espreita sua presa, e quase sempre injustas. Olhou para o tempo e suspirou um suspiro sem significados. Depois voltou para o interior da casa e para o fogão onde fumegavam o feijão, o arroz, a carne assada. Ao longe Tomás divisou a picape nova de Ilton Xavier, que rolava apressada pela estrada, exalando poeira. Todos esses discretos movimentos eram como sinais da respiração de um corpo adormecido, só isso, e não chegavam a arranhar a tarde.

O café estava muito doce, doce demais, mas Tomás aprendera a gostar dele assim, que era a forma da gente dali, economia no pó, fartura no açúcar. O cachorro, a quem uma mutuca incomodava, levantou ágil a cabeça e num só movimento abocanhou o inseto em pleno voo. Tomás ficou olhando sem interesse para as próprias pernas, descobertas por uma bermuda. Na sua pele estavam as marcas rudes daquele lugar sem asfaltos e concretos, como tatuagens: montes de picadas de mosquitos, de carrapatos, de mutucas e outros bichos, uma pequena cicatriz na panturrilha esquerda, de onde fora tirado um berne, no posto de saúde de Jabuticabais. Coisas que ele vinha angariando ao longo dos últimos anos, desde que fora viver ali. Tão perto e tão longe daquela moça de branco. Junto aos pés dele uma trilha laboriosa de formigas desenhava uma estria viva no chão.

Nem feliz, nem infeliz. Um homem que buscava apenas aquele pequeno silêncio, aquele preciso lacrimejar por nenhum motivo e por todos. A confusão entre si mesmo e a poeira da estrada que a picape nova de Ilton Xavier deixava para trás como um pensamento.

Na sala pequena de chão de cimento vermelho-gasto empilhavam-se os quadros que Cândido viria buscar no fim de semana, as telas de intenção e tamanho despretensiosos vendidas a cem reais cada e destinadas a decorar saletas de classe média interiorana, consultórios médicos, modestos escritórios de advocacia. O tabelião de Jabuticabais comprara duas, segundo Cândido. Uma estava pendurada no cartório, a outra fora presente de casamento para uma sobrinha. Vez por outra alguém encomendava um retrato, o preço dobrava, Cândido ficava satisfeito, mas o humor de Tomás não parecia mudar muito, continuava uniforme como aquela tarde seca.

Nas pinturas de paisagens havia quase sempre uma estrada que não levava a lugar nenhum. Que sumia atrás de uma árvore, ou numa curva, ou num declive do terreno. E no canto inferior direito ficava aquela assinatura silenciosa de alguém que só assinava seus quadros porque os compradores exigiam. Antes, aos vinte anos, Tomás se recusava a poluir qualquer trabalho seu com uma assinatura imprevista que atrapalhava a composição geral, como alguém tossindo no meio de um concerto, como as luzes de uma sala de projeção acendendo antes do final do filme. Agora, ele fazia o que os clientes quisessem, e para esses clientes uma assinatura dava autenticidade ao quadro. Status. Mesmo a assinatura de um pintor desconhecido. Não podia ser dispensada. Está bem. Não faz diferença. Ele assinava seu nome com tinta preta e caligrafia de estudante de escola primária.

Certa vez uma cliente contou minha sobrinha viajou para a Europa. Foi a Paris. E me trouxe de lá uma reprodução enorme de uma fotografia, uma fotografia preto e branco de um homem e uma mulher se beijando no meio da rua. Nunca que eu vou pendurar aquilo na minha sala. Os seus quadros, sim. As suas paisagens, tão bonitas, e além do mais são pintura a óleo, isso tem valor.

Tomás pensou na fotografia magistral de Robert Doisneau e sorriu e acendeu um cigarro e a espiral de fumaça ganhou o espaço como uma serpente encantada. Por um instante esculpiu uma figura feminina que logo se desmanchou no ar. Cansado de tanto dormir, o cachorro levantou-se, coçou a orelha com a pata traseira e esqueceu a pata no ar durante um precioso instante em que olhava a distância e percebia algo que escapava ao homem. Voltou a cabeça e viu a porta aberta atrás de si e teve um pressentimento canino diante do qual sorriu um sorriso canino, invisível de tão suave. Depois foi se deitar dois metros adiante, onde a grama estava alta e talvez mais fresca.

Não havia mais novidades para Tomás. As palavras eram poucas, decorrência do fato de dividir a maior parte das horas com uma cozinheira que não gostava de conversa e que se comunicava por sorrisos e monossílabos, ou pela ausência deles. Somente de tempos em tempos ele ia até Jabuticabais, a cidade mais próxima, fazer suas compras mais do que modestas. Além disso havia apenas as visitas de sua amiga Clarice. E as visitas a sua amiga Clarice. Que serviam para reiterar a certeza: não havia mais novidades. O percurso estava terminado e Tomás podia agora sentar-se a uma sombra, diante da linha de chegada, que vinha a coincidir com o ponto de partida, como se ele não houvesse se movido ou como se tivesse vivido um grande arco, 360 graus. Dali restava a ele observar a velocidade da rotação do planeta, e a magra sucessão das estações. Nessa realidade, a companhia de Clarice se encaixava sem exigir, sem movimentar, sem fazer alarde. Sem causar dissonâncias que exigissem resposta, silenciosa como tudo mais. Se a espiral de fumaça esculpia uma figura feminina, essa figura não revelava Clarice, definitivamente. Porém, e Tomás devia reconhecê-lo, talvez ainda evocasse aquela outra, apesar de tudo. Aquela que ele iria reencontrar no dia seguinte.

Uma mulher que a memória sempre vestia de branco e de juventude.

* * *

Muitos anos antes, aquela mulher de branco ainda era apenas Maria Inês. E acabava de plantar uma árvore de dinheiro em companhia de um primo de segundo grau que ainda era apenas João Miguel. Dois primos de segundo grau com nomes duplos: era tudo o que tinham em comum.

Ainda não está brotando, reclamou João Miguel, e Maria Inês deu de ombros e disse você não tem mesmo paciência. Acha que é assim? Que a gente planta uma semente e ela começa a brotar na mesma hora? Tem que esperar muito tempo.

Quanto tempo?

Depende. Dias, semanas.

Isso tudo?

Ela não respondeu. Alisou a terra com cuidado quase maternal, depois desviou os olhos para acompanhar uma borboleta que sobrevoava o pequeno espaço até a pedreira e lançava-se audaciosa no abismo.

Presta atenção, não vá dizer ao meu pai que andamos por aqui, é proibido, disse Maria Inês.

Proibido?

É. Ele proibiu, é muito perigoso.

João Miguel alarmou-se, mas ao mesmo tempo era óbvio que uma árvore de dinheiro, como aquela que ele e sua prima de segundo grau haviam acabado de plantar, devia ficar num lugar secreto. De difícil acesso. Num lugar *proibido*.

Durante uma hora as duas crianças haviam caminhado morro acima, atravessando o pasto e a pequena mata que havia lá no alto (como um resto de cabelo numa cabeça quase inteiramente calva), enchendo-se de carrapatos, até os limites da grande pedreira onde famílias de lagartos mimetizavam-se imóveis sob o sol.

Do topo, debruçados sobre a pedra mais alta, podiam enxergar o mundo inteiro, ou ao menos aquilo que parecia a Maria Inês ser o mundo inteiro, dimensionado por seus nove anos de idade. De um lado o rio, pedacinho de barbante dourado, os animais no pasto como miniaturas, a casa e o curral como brinquedinhos coloridos de plástico. E do outro lado, o silêncio e o vazio acentuados pelo abismo abrupto: lá embaixo, na sede abandonada de uma Fazenda dos Ipês, fantasmas vagavam, caramujos redondos riscavam muito devagar as paredes adormecidas e plantas suculentas cresciam no telhado. A pintura das janelas descascava aos poucos, tudo envelhecia e se tornava dia a dia mais secreto. Mais doloroso. Como outras realidades que Maria Inês estava prestes a conhecer tão bem.

Já te contei sobre a Fazenda dos Ipês?, ela perguntou a João Miguel, e ele mentiu, dizendo não somente porque queria ouvir de novo a história do linchamento.

Ela contou: dizem que o dono ficou maluco porque apanhou a mulher com outro, você sabe como é. Ele foi até a cozinha, pegou o facão. Parece que estava bêbado, não sei se alguém faria uma coisa dessas se não estivesse bêbado. Talvez fosse maluco. Pegou o facão e matou a mulher, sua própria mulher! Já imaginou? Com dezessete facadas. O amante dela conseguiu fugir, chamou a polícia, o homem foi preso.

Maria Inês fez uma pausa, avaliou o silêncio na ponta da língua e sentiu seu gosto doce-azedo, como o das balas de tamarindo. Depois prosseguiu, competente contadora de histórias, narrando como a minguada população da pacífica Jabuticabais enfureceu-se, levantou-se como uma onda, invadiu a delegacia e linchou o assassino no meio da rua, com paus e pedras e depois fogo. A filha dele, a criança amargurada que herdou aquelas terras, teve que amadurecer antes do tempo, como uma fruta na estufa. Chamava-se Lindaflor, a pequena e brava Lindaflor, que nas redondezas era evocada como um mito. Alguns diziam que era loura como um anjo, outros garantiam que tinha cabelos de fogo e pele muito branca, ou então era morena como uma índia, de cabelos grossos e lisos. Ora era dissimulada como a mãe, ora era violenta como o pai, ora era suave e louca. As informações sobre seu atual paradeiro também variavam. Estaria com tios em Friburgo. Estaria com primos no Rio de Janeiro. Teria se mudado para o exterior, para a Alemanha, onde era criada por um casal de músicos, um pianista alemão e uma violoncelista brasileira (ninguém saberia explicar de onde surgira essa hipótese tão criativa quanto improvável). Maria Inês não podia esclarecer nada daquilo junto a seus pais, porque, naturalmente, aquele assunto também era proibido.

Os proibidos a seduziam na mesma medida com que cerceavam Clarice, sua irmã mais velha, que já ia completar treze anos e era obediente como um cãozinho treinado, que não se aproximava da grande pedreira e não fazia perguntas sobre a tragédia da Fazenda dos Ipês. Os proibidos.

Quer saber o que vou fazer com a minha parte do dinheiro?, Maria Inês perguntou ao primo de segundo grau, referindo-se à árvore, ao dia em que estivesse adulta e pejada de frutos-moedas. Vou viajar, ela disse. De navio, até a Europa.

Havia um aparente desprendimento no comentário de João Miguel, mas uma tristeza profunda fez baixarem seus olhos. Ele falou meu pai viaja muito. Até a Europa, de avião e de navio.

Plantar uma árvore de dinheiro usando uma moeda como semente havia sido ideia de Maria Inês, naturalmente — a inventiva Maria Inês, e ousada, e curiosa. Olhou para o primo com sincera compaixão. Quando João Miguel se lembrava do pai, e então ficava pesado como uma segunda-feira chuvosa, invadia-a aquela vontade de protegê-lo, o pobre primo abandonado, de carregá-lo no colo. Viajava muito, o pai dele. Até a Europa, até sua Itália natal. De avião. Com a amante. Enquanto a esposa terminava de se gastar numa clínica para doentes mentais. Claro que saber aqueles pormenores era cem por cento proibido, mas Maria Inês tinha seus meios de entreouvir as conversas dos adultos. Até a Europa. Com a amante. E o filho único ficava esquecido durante os três meses de férias na fazenda dos primos, no interior do estado.

Pobre João Miguel, disse Maria Inês, e suas palavras se faziam com um terço de sinceridade e um terço de ironia e um terço de indiferença. Passou os dedos de leve pelo punho que seu primo de segundo grau e marido havia machucado durante uma partida de tênis, naquela manhã de domingo, trinta e cinco anos depois da antiquíssima e embolorada manhã de domingo em que, longe dali, haviam subido um morro e se aproximado de uma pedreira proibida para vigiar o nascimento de uma árvore de dinheiro.

Depois da carícia, suave como o roçar de uma asa de inseto, Maria Inês voltou a pôr os óculos de leitura e a mergulhar sem interesse no jornal. Ela disse que as edições de domingo eram uma bobagem e que nunca falavam de nenhum assunto importante. E João Miguel disse a proposta é justamente essa, edições de domingo para leitores de domingo.

Maria Inês continuava a virar as páginas, detinha-se aqui e ali, ainda que não se sentisse propriamente uma leitora de domingo. Folheou a magra revista que trazia fofocas sobre atores e atrizes norte-americanos e despretensiosas dicas de moda e maquiagem. Uma entrevista. Anúncio de plano de saúde. Uma crônica preguiçosa e rala. Ela só voltou a se interromper para beber o último gole de sua xícara de café, amargo e forte, como na Itália. Aprendera a gostar do café assim, depois das viagens. Recolocou a xícara branca sobre o pires branco que estava na mesa de tampo de cristal e pés de mármore branco. Italiano.

Fazia calor demais e a cor da manhã era um azul não confiável. Intenso, mas poroso, com uma infinitude de intervalos, de falhas, de lapsos. Intenso *demais,* como um azul de pintura a óleo, como um azul artificial engendrado em paleta de artista — ou em vocabulário de artista.

Nas ruas do Rio de Janeiro mulheres gordas e descomplicadas desfilavam shorts curtíssimos dos quais saltavam coxas cobertas de celulite, e camisetas de alça, largas e curtas, que revelavam braços roliços e abdomes roliços e sob as quais se balançavam peitos carnudos e moles. Senhoras muito dignas de sobrancelhas finas caminhavam pelas calçadas com as alças do sutiã à mostra pelo decote da blusa. Na testa, nas têmporas e sobre os lábios borrados de batom encarnado, mil gotinhas de suor resistiam aos lenços de cambraia. Homens tiravam as camisas para revelar barrigas sedentárias e bronzeadas demais. Quase todos estavam, aliás, bronzeados demais, rostos que eram como tomates, miseráveis marcas brancas de alças de maiô decorando as costas, a pele que se despegava como folha de papel depois do sol excessivo, lábios intumescidos como frutas maduras.

O calor estava em toda parte e pouco adiantava buscar o aconchego mentiroso do mar, porque o sol torrava mesmo quando a fria água salgada pretendia fazer crer que havia algum alento. Ao contrário, o sal potencializaria as queimaduras da pele. O calor estava nas areias, nas calçadas, nas vitrines das lojas, no asfalto, nas árvores, em toda parte, no ar, nas paredes, nos cães de bocas abertas e línguas gotejantes, nos mamões que ficaram sobre a mesa, decalcado como um matiz extra no azul traiçoeiro do céu.

Na grande sala de estar de Maria Inês e João Miguel Azzopardi havia, porém, um anestésico denominado ar-condicionado-de-vinte-e-três--mil-BTUs. O apartamento no Alto Leblon era um aquário e em suas águas refrigeradas boiavam alguns peixinhos secretos, muitos peixinhos óbvios, a maioria deles sem nome.

Uma decoradora sugerira aquele branco todo. Sofá branco, paredes brancas, poltronas brancas. Ideias brancas e inverdades brancas. Muito mármore branco. Algum aço escovado, como o das duas cadeiras. Algum pau-marfim, como o da estante. Um infinito mundo asséptico de fantasia.

O dinheiro que comprava tudo aquilo não brotara da árvore plantada trinta e cinco verões antes nas proximidades de uma pedreira proibida.

Vinha daquela natural continuação da carreira do *vecchio* Azzopardi, o Azzopardi pai, pelo Azzopardi filho, João Miguel. Naquele ano, como em todos os outros, o *vecchio* receberia suas visitas na *villa* de sua Toscana natal, onde fora viver depois da aposentadoria, aos setenta anos. Cheio de vitalidade e vontade de beber *chianti* e namoradas cada vez mais jovens.

O voo de João Miguel sairia à noite. Faria antes uma adequada escala em Cortina d'Ampezzo. Eduarda havia optado por acompanhar sua mãe àquele destino tão diverso onde reencontraria a tia Clarice, no interior do estado, um lugar onde turistas jamais poriam os pés. E onde muitos mistérios respiravam à luz do dia, conforme ela haveria de descobrir.

Pelo protocolo, Maria Inês teria acompanhado João Miguel. Com seu corpo comprido cujas imperfeições iam suavizadas por roupas bem-escolhidas, com seu rosto que aprendera a sorrir de forma adequada, com sua presença perfumada e exata, nunca muito grande, nunca pequena demais, coisas que eram como a sintaxe de um novo idioma aprendido com tal perfeição que quase extinguia a memória do idioma original.

Ainda se escondiam nela, porém, emoções que só poderiam ser expressas com seu vocabulário antigo, seu vocabulário tosco de moça *inadequada*. De menina que adorava burlar proibições. E que acabara se decidindo pela fazenda em lugar da *villa* de *papa* Azzopardi. Pela sua própria vida, em lugar da vida do outro. Pelos seus próprios segredos, também. Pelo seu próprio degredo voluntário. Pelos seus pântanos onde talvez monstros machucados ainda vagassem, tanto tempo depois.

Ela dobrou o jornal em quatro partes iguais, tirou os óculos de leitura. E deu instruções para que João Miguel fizesse compressas com gelo e tomasse anti-inflamatório.

Tem uma droga nova que foi lançada, parece que não afeta o estômago.

João Miguel respondeu com reticências, fez um gesto vago com a mão. Não considerava totalmente confiáveis as opiniões médicas de Maria Inês, a despeito do diploma. Ela sabia disso e deu de ombros e disse se estiver doendo muito, chama o Vargas. Ele é especialista. O telefone está na minha agenda.

Levantou-se e cruzou a sala devagar.

Vou tomar banho, disse, largando um gesto de perfume no ar enquanto seus pés descalços sentiam o contato frio do chão.

O banheiro não estava refrigerado e ali era possível suar. Maria Inês olhou para o jardim ornamental em miniatura que brotava do outro lado do boxe. Um jardim em miniatura dentro do banheiro. Com plantinhas de folhas intumescidas que faziam flores delicadas. Se Eduarda ainda fosse criança, poderia brincar de boneca, ali. Com suas Barbies. Mas Eduarda já era quase adulta e, além do mais, anti-Barbies. No dia em que tiver uma filha vou lhe dar bonecas de pano para brincar (aos quinze ou dezesseis anos, poderia advir daí todo um inflamado discurso de repúdio ao imperialismo cultural norte-americano e tudo mais).

Maria Inês começou a se despir diante do espelho. Automaticamente. Não tinha nenhuma intenção de estudar a própria nudez, tão familiar. Seu corpo era aceito por completo. Para tirar a camisola bastou um gesto, e então ela reencontrou aquela íntima e corriqueira verdade, seu corpo, que em nada evocava Barbies ou outras belezas padronizadas, curvas classificáveis em categorias, vendáveis, temporariamente definitivas. Seus quadris eram um pouco largos e o ventre estava longe de ser liso feito tábua. Os seios de menina que haviam amamentado uma filha continuavam a ser seios de menina, pequenos e frágeis. Ela guardava a cicatriz de uma grave apendicite operada havia cinco anos. Tirando a calcinha, ainda era possível divisar o vestígio da cesariana, aquela pequena cicatriz curva e rosada com talvez dez centímetros de extensão.

Abriu o armário e apanhou o tubo azul: *Lancôme, Paris. Gommage pur. Gelée exfoliante. Activation et lissage (Exfoliating gel. Stimulation — smoothness). Soin du corps. Vitalité. Douceur.* Ela não sabia exatamente de onde aquilo surgira, mas tinha um cheiro muito bom e consistência agradável, um pouco áspera, delicadamente áspera. E era azul, sua *gelée exfoliante,* de um azul tão traiçoeiro como o do céu de dezembro que pesava sobre o Rio de Janeiro quase como uma maldição.

Os olhos escuros e amendoados de Maria Inês se encontraram e se multiplicaram no espelho. Ela se aproximou um pouco mais do reflexo e tirou com uma pinça os pelos supérfluos das sobrancelhas, originalmente grossas, mas agora tão bem-modeladas. Pensou em João Miguel e seu punho machucado, depois tentou esquecê-los a ambos. Não era bom ficar revisitando com a imprudência da dúvida as decisões tomadas havia tanto tempo. João Miguel parecia em paz, Maria Inês parecia em paz. Os anos compunham sedimentos e aplainavam ousadias. Maria Inês já não sentia dor quando a pinça agarrava certeira um pelo e arrancava-o pela raiz, sua pele se acostumara.

Ela mergulhou os pés pequenos na banheira, primeiro o direito, depois o esquerdo, um nascimento invertido — faltava o fórceps com que fora arrancada do útero de sua mãe. A maré foi subindo até alcançar-lhe o pescoço, e a água tinha um agradável espírito neutro. Estava fria, o que também era bom, já que naquele banheiro, naquela cidade, naquela estação, se podia suar. Muito. A nuca nua recostou-se numa extremidade. Maria Inês fechou os olhos e respirou fundo e por um instante acreditou que talvez fosse possível.

* * *

Agora Clarice já não tinha machucados, mas apenas cicatrizes. Segredos cauterizados. Observava sem interesse a picape nova que Ilton Xavier (o *seu* Ilton Xavier) comprara havia poucas semanas e que rolava pela estrada de terra deixando atrás de si uma nuvem de poeira como um pensamento — uma dúvida, um resto de pergunta esquecido no passado. Clarice conhecia o inferno, mas acabara por domar o tempo e perder o medo. Claro que Ilton Xavier deixara de ser *seu* havia muito, mas alguns cacoetes subsistiam, como aquele possessivo que usava descuidada, o *meu* Ilton Xavier. Isso não representava uma falha grave.

Estava debruçada à janela da sala observando a vida que passava pela tarde imóvel — esse conhecimento, adquirira-o ao completar seus atuais quarenta e oito anos (quatro a mais do que sua irmã, Maria Inês): *o tempo é imóvel, mas as criaturas passam.* Anotou isso num caderno, a título de confissão, sem se incomodar muito com o fato de que anotações em caderninhos eram, ou pelo menos haviam sido, um hábito dela, sua irmã. Não tinha importância. Depois de tantos anos e de toda a história que valia mais do que anos e décadas e séculos, as coisas estavam bem relativizadas. Sem possessivos fortes, como no caso de Ilton Xavier. Até mesmo as confissões anotáveis em caderninhos eram, em última análise, tolas.

Quarenta e oito. E queloide nos punhos nus. Clarice deixou que seus olhos corressem pelas terras (não era tanta coisa) que haviam pertencido a seu pai, Afonso Olímpio, e que ela vendera sem sentir remorso, guardando apenas aquela área ilhada com as benfeitorias, onde vivia. Ela viu a antiga casa de colonos onde agora Tomás, o antigo amante de sua irmã, morava e pintava uns quadros sem ambição — paisagens despidas de qualquer verve. Naturezas-mortas mortas. Abstrações sem sentido e sem desejo de constituir um sentido. Retratos opacos. Tomás parecia perseguir a mediocridade com o mesmo afinco com que, décadas antes, perseguira um suposto *talento superior* destinado a ser reconhecido pela humanidade. Ele havia virado tudo ao avesso para conseguir sobreviver à perda de uma mulher. E à falta daquilo que ela extirpara dele e carregara embora consigo.

Essa mulher, claro: Maria Inês. Numa história paralela.

Clarice viu também cercas cobertas por erva-de-passarinho e outras, um pouco mais longe, de madeira recém-pintada de branco, bem-cuidadas. Viu bois parados no pasto, quase todos reunidos sob a sombra imensa de uma mangueira, movendo sem pressa as mandíbulas e afastando insetos com o rabo. Depois voltou as costas à janela e viu a fotografia dela, Otacília, sua mãe (que não lhe deixara a herança genética das águas-marinhas azuis).

Um dia, o esquecimento. Um dia, o futuro.

Um dia, a morte. Clarice sentiu mais uma vez com as pontas dos polegares as duas cicatrizes gêmeas, uma em cada punho. E sorriu um sorriso involuntário e triste, um sorriso sem mistérios, ao pensar que afinal acabara sobrevivendo a si mesma.

No anular da mão esquerda não havia aliança. Aquela em que antes (muito antes) esteve gravado o nome *Ilton Xavier* fora vendida havia alguns anos. Vendida e aspirada sob forma de cocaína. As cicatrizes deixadas pela faca Olfa estavam altas, haviam formado queloide, normalmente Clarice disfarçava-as usando pulseiras e relógio nas raras ocasiões em que estava *em público*. Não precisava disso naquele momento, também estava descalça, usava uma camiseta Hering velha e branca e larga e comprida que estava suja de argila, e os cabelos grossos presos num coque inseguro. Era a Clarice sem dissimulações.

Assim como os móveis da sala haviam sobrevivido a tantas investidas do tempo — *o tempo é imóvel, mas as criaturas (e os objetos, e as palavras) passam*. O estofamento cor de mostarda da grande poltrona reclinável estava puído em vários pontos, exatamente como a memória de Clarice ao passear pela época em que se recostava ali após o almoço, no coração de uma tarde quente e seca, e adormecia sem medo. Quando em sua vida ainda pulsavam as expectativas sinceras do *antes de tudo*. Diante da lareira muda restavam uns tocos de lenha entre os quais pequeninas aranhas teciam suas teias. O atiçador estava inteiramente enferrujado. O tapete estava desbotado, mas limpo. E o retrato de

Otacília somente amarelara um pouco. Um retrato que lavava as mãos diante da história. Continuava pendurado no mesmo prego e não cabia a Clarice tirá-lo dali, não lhe cabia nenhuma atitude direcionada à memória da mãe, não tinha direitos, porque Otacília fora-lhe quase uma estranha. Sobre a mesa de centro estava, junto ao cinzeiro muito usado, um exemplar de Thomas Mann, *Morte em Veneza*. Leitura radicalmente proibida por Otacília e Afonso Olímpio, agora profanando o que ainda pudesse subsistir da vontade deles ali. Como que para corrigir esse deslize, o oratório continuava abrindo suas portas delicadas de madeira e ainda abrigava a imagem da Virgem com o Cristo ao colo. Dentro de um vasinho de pedra-sabão (comprado em Ouro Preto, nas Minas Gerais de origem de Afonso Olímpio) havia flores secas e coloridas que tinham o cheiro rude das coisas sem importância.

Três dos quatro quartos estavam calados e dormentes. Eram como possibilidades apenas, ou quase-possibilidades, eram tudo o que não havia sido e não poderia vir a ser. Uma vez por semana as janelas eram abertas e a luz do sol riscava o chão numa carícia ingênua. Os três quartos eram varridos e espanados, os móveis recebiam óleo de peroba, as lagartixas e as aranhas escondiam-se nas frestas esperando que cessasse o movimento. E o movimento cessaria, sem dúvida.

O outro quarto era aquele que Clarice ocupava, aquele mesmo que ocupara havia uma eternidade e do qual nunca havia conseguido escapar. Por que não reconhecer? Agora que seus pais não passavam de nomes inscritos numa lápide no pequeno cemitério de Jabuticabais, e que a maior parte das terras havia sido vendida, e que o sopro morno do desuso havia ganho cada fresta das benfeitorias — o curral vazio, o paiol vazio, os depósitos, a garagem do trator, o motor imprestável do trator e sua lataria já bem enferrujada —, agora Clarice podia reconhecer que nunca dera um único passo. A superação do medo não vinha a ser sinônimo de movimento (a coragem do movimento, ou a naturalidade do movimento). Era, antes, como uma página em branco onde nenhuma palavra quer se inscrever.

Ela enterrou a tarde com um longo suspiro e acompanhou os primeiros morcegos que voavam e delicadamente assoviavam entre as árvores. Interrompeu no meio uma ideia que começava a se transformar em vontade e que lhe propunha uma garrafa de vinho ao jantar — não tinha bebidas ali, e além do mais estava muito quente. Claro, estava muito quente, por isso ia preparar um sanduíche com um bife frio e umas rodelas de tomate e uma folha de alface e depois fingir que lia *Morte em Veneza* enquanto a eletricidade estática inflamava o ar com um sabor de prelúdio de chuva. Na grande pedreira que encimava o morro mais próximo uma borboleta tardia abriu suas asas multicoloridas e lançou-se no abismo.

Morte em Veneza havia sido um livro proibido. Por ela — Otacília. Clarice tivera de esperar tanto tempo antes de poder enfim acompanhar Gustav von Aschenbach deixando sua residência na Prinzregentenstrasse, Munique, para um passeio, no início de maio de um ano que não se precisava (19..., logo à primeira linha). Tanto tempo: a vida inteira. A vida inteira tentando satisfazer Otacília a fim de merecer seu amor de mãe que no entanto nunca se cumprira.

Criança, tinha urgência em obedecer-lhe e respeitá-la. Chegava a desejar ter capacidade de ler mentes e corações para antecipar-se a Otacília, antecipar-se a suas vontades e expectativas. Mas nada parecia alegrar Otacília, nada parecia mobilizá-la, nem a empenhada adequação de Clarice, nem a vivaz insubordinação de Maria Inês, nem a aparentemente correta solicitude de Afonso Olímpio e os *esses* bonitos e cristalinos de seu sotaque mineiro e o cheiro do fumo que ele consumia em silêncio, à tardinha. Poucos anos haviam sido suficientes para escurecer Otacília, para nublar seus olhos de águas-marinhas azuis e engravidá-los de tempestade, para deixá-la parecida com uma madrugada fria e insone. Seu humor escurecia mais a cada dia, e não havia para Clarice modo de deixar de sentir-se ao menos *um pouquinho* culpada. Tinha certeza de que a mãe não a amava. Talvez porque tivesse *feito algo*? Alguma coisa muito feia e censurável de que nem mesmo se lembrasse? Durante seus primeiros anos, ou mesmo seus primeiros meses de vida?

Claro que essas conjecturas se deram muito cedo. Numa época em que o óbvio ainda não era óbvio e esperava escondido atrás da porta como um predador. Antes, bem antes de tudo.

Clarice fechou o livro que fingia ler, não se deu ao trabalho de marcar a página, pois teria que começar tudo outra vez, novamente Gustav von Aschenbach na Prinzregentenstrasse (em 19...). Levantou os olhos para a fotografia de Otacília em seu vestido de noiva e divisou uma pequena traça que se arrastava ali, mole, ausente.

Agora não havia mais nenhuma reprodução do quadro de Whistler entre os poucos livros que Tomás guardava. *A garota de branco* — ou: *Sinfonia em branco nº 1*. A poesia da visão. Entre tantas andanças pelas beiradas da vida era natural que os bens materiais se fossem largando aqui e ali, como pedaços de pele morta. O pouco que restara, Tomás vendeu para comprar aquele retalho tímido de terra onde um casebre triste pedia desculpas por existir, onde as galinhas-d'angola repetiam seu bordão, onde a cozinheira Jorgina preparava um café fraco demais e doce demais, onde um cão sem nome e sem dono dormia seus sonhos imponderáveis e devorava suas refeições sempre como se estivesse meio morto de fome e depois ficava com a barriga tão inchada. Os livros haviam sumido quase todos, junto com a maior parte das ambições. Agora Tomás queria apenas uma vida fluida como um rio sem cachoeiras.

Ele esperava. Como Clarice, que era sua vizinha e cuja casa podia divisar no lusco-fusco, adiante, entre pinheiros e eucaliptos cinquentenários. A noite que se avizinhava corria o risco de ser a mais longa da história.

O cachorro parecia já ter cumprido seu dia e arrastara-se meio bêbado para continuar a dormir sobre o tapete da sala. No céu de janeiro começava a surgir uma multidão incontável de estrelas. Ali era possível divisá-las no cinturão poroso da Via-Láctea, boiando numa noite tão diversa daquela da cidade, em que empalideciam e ficavam ofuscadas por outras luzes. Talvez não fosse haver chuva, afinal, embora a tarde tivesse ido embora carregada de expectativa. Da cozinha chegavam a Tomás o ruído e o cheiro de fritura. Diante de seus pés uma mariposa morta-viva acabava de se debater inutilmente enquanto um cortejo fúnebre de formigas pretas e famintas arrastava-a em seu resto de existência pelo chão.

Por quais caminhos bifurcavam-se os destinos? Quantas fantasias tecidas com a delicadeza de filigranas viam-se abortadas? Quantas surpresas inchavam como sombras por trás de cada passo dado?

Aos distantes vinte anos de idade, tudo era tão diferente. E, no entanto, talvez seria correto dizer que o tempo já estava grávido de todos os acontecimentos posteriores. Certo dia, os policiais invadiram o pequeno apartamento no Flamengo, que os pais de Tomás haviam comprado apenas dois meses antes. Em busca de livros *subversivos*. Não os havia mais, tinham sido rasgados e, como de praxe, enviados latrina abaixo. Certa noite apavorada, Tomás viu o avião levantar voo e conduzir seus pais para o exílio. Certa manhã, Tomás acordou e deu-se conta de que tinha vinte anos de idade e que estava só. Só, em todos os sentidos. Uma manhã remota. Tinha vinte anos e pelo menos vinte escolhas diante de si, por isso sorriu ao divisar aquela jovem na sacada de um apartamento no prédio mais próximo. Ela vestia branco e tinha os cabelos soltos, como se fosse um milagre. Cabelos compridos, grossos e escuros, ondulados demais. Não podia ser diferente: a *Garota de branco*. A *Sinfonia em branco* de Whistler. A poesia da visão.

Tomás tinha ambiciosos cadernos de desenho espalhados pelo apartamento no Flamengo, que agora ocupava sozinho. Tinha telas cada vez maiores. O ambiente impregnara-se do cheiro das tintas a óleo e acrílicas. Sobre a mesa de quatro lugares se espalhavam lápis, esfuminhos, carvão, giz pastel, vidrinhos de tinta guache e de nanquim, pincéis. Antes, aquele era o lugar tanto das refeições cotidianas quanto de umas infladas e inflamadas reuniões clandestinas do Partido. O pai de Tomás era jornalista. Sua mãe, estudante de direito e presidente do diretório acadêmico da PUC. Tinham uns codinomes tirados do Antigo Testamento, ela era Ester, ele era Salomão.

Nos sonhos de Tomás havia uma série de museus que nunca havia visitado, e sofisticadas galerias de arte, e bienais, mostras, panoramas, retrospectivas, por onde sua curiosidade saudável, infantil, adoraria passear. Porém, o talento de Tomás embolava-se em si mesmo, confuso, muito pouco produtivo ou produtivo por demais, de forma desordenada e inconstante. Como se as possibilidades devessem apresentar-se todas de uma só vez e como se o momento presente fosse o último. Ao mesmo tempo, como se nenhuma urgência pudesse ser sobreposta ao sono de uma manhã de domingo ou ao torpor do sol sobre sua pele, queimando intenso. Sem fronteira, ordem ou continente, o talento de Tomás se espalhava e não raro se perdia, ou então ficava esvoaçando pelos cantos da casa como um inseto perdido no escuro. Os momentos de disciplina pareciam se limitar às escassas aulas particulares que ele dava, como opção a ter de procurar um emprego (que, ademais, perigava não encontrar, sendo *persona non grata*, por causa de seus pais).

Descobriu quase por acaso a moça do apartamento em frente. Bastou vê-la para pensar imediatamente numa obra de Whistler, pintor que combinava muitas vezes cor e música nos títulos de seus quadros. *Noturno em preto e ouro, Noturno em azul e verde, Harmonia em violeta e amarelo. Sinfo-nia em branco.* Diante dela, daquela moça, Tomás logo pensou em fazer uma tela *d'après* Whistler, inspirando-se naquele *Sinfonia em branco*. O que não lhe ocorreu foi que, aos vinte anos, ainda lhe era impossível dissociar arte e amor, amor e paixão. Estava fadado a apaixonar-se perdidamente pela garota de branco.

As décadas seguintes revelaram-lhe todos os seus lamentáveis enganos. Agora já não tinha nenhum livro em que a reprodução daquele Whistler pudesse ser encontrada. Em que pudesse vê-la e reativar o mesmo miserável sentimento de impotência. Dissera palavras de menos, tomara atitudes de menos, mas tudo isso, assim como Whistler e como os futuros gloriosos, fingia adormecer no esquecimento.

Agora, Tomás recordava, mesmo que sua memória estivesse esgarçada e se pudesse ver através dela como se fosse um pedaço de pano muito usado. E não havia como não recordar. A noite próxima seria como o silêncio tenso que precede a chuva. A noite mais longa da história. Antes, aos vinte anos, Tomás embebedava-se de rum com Coca-Cola e dormia durante dez, doze horas a fio. Hoje precisava se conformar com a insônia.

Por outros motivos, Clarice também esperava. Passava das nove horas quando vestiu uma calça jeans sob a blusa larga suja de argila, calçou suas sandálias Havaianas e enfiou-se na escuridão quase total do caminho que ia dar na porta de Tomás.

Muitos anos antes, aquela casa onde ele morava havia feito parte das propriedades de Afonso Olímpio e Otacília: uma casa de colonos, tosca, por demais sem importância para merecer considerações estéticas, com uma parede cega e uma varandinha forrada com o mesmo piso de cimento vermelho que também estava na sala mínima, no único quarto e na cozinha. Essa última, ampla se comparada ao resto, havia sido antes o cômodo onde se faziam as refeições, recebiam-se as visitas, espantava-se o frio das noites de inverno junto ao fogão de lenha. Antes, quando não havia eletricidade, mas velas e candeeiros onde os insetos morriam queimados. Hoje lâmpadas-ciclopes pendiam nuas do teto, sem a desnecessária intervenção de lustres ou luminárias, e deixavam à mostra fios como vísceras expostas que pendiam do cimento.

Você não está ocupado?, Clarice perguntou, empurrando a porta que estava sempre entreaberta.

Deixara de usar artifícios com Tomás, e por isso os punhos com as cicatrizes como lábios magros e sisudos estavam visíveis, sem pudor. Algumas mechas crespas de cabelo caíam descuidadas do coque frouxo sobre as orelhas. Não havia brincos. Sua pele não era, nunca havia sido, pálida como a de Maria Inês, mesmo que ela ficasse meses sem se expor ao sol. Apesar do paradoxo do nome.

Não está pintando?, ela repetiu a pergunta, mesmo após a negativa de Tomás.

Não hoje, ele disse, e ela compreendeu. Meio timidamente, perguntou será que você não tem uma bebida? Uma cerveja, ou mesmo um licor?

Pensei que você tivesse parado, ele disse, embora não houvesse censura em suas palavras.

Parei, é verdade. Mas, hoje, você sabe.

Tomás fez que sim com a cabeça, mas respondeu que não, havia tempos que não ia à cidade para fazer compras e uma última garrafa de vodca nacional, aquela que não dava dor de cabeça no dia seguinte, terminara na véspera.

Clarice cutucou a ponta do tapete com o pé e disse é uma pena.

Posso te servir um café, ou então podemos apanhar umas laranjas e fazer um suco.

Laranja com vodca teria sido ótimo, Clarice falou, num sorriso. *Hi-fi*. Me faz lembrar umas festas de muitos anos atrás.

Uma lâmpada fraca tentava iluminar a varanda. Tudo mais, no exterior da casa, era escuridão, mas Tomás e Clarice estavam acostumados à escuridão. O cachorro acompanhou-os até a porta. Sua infinita preguiça impediu-o de seguir adiante, de contornar as gaiolas dos coelhos e o rústico galinheiro coberto de sapê e galgar os poucos degraus esculpidos na terra e alcançar o pequeno pomar onde cresciam algumas laranjeiras, um limoeiro, um pé de acerola, um mamoeiro e as infalíveis goiabeiras. Mergulhadas na noite, as árvores eram como grandes espíritos semiadormecidos, oscilando num movimento mágico que talvez fosse provocado pelo vento leve, ou talvez fosse voluntário. Quem saberia. Possivelmente as árvores tinham vontade própria, ou então a noite lhes conferia algumas faculdades especiais. Entre os galhos das árvores pipocavam vaga-lumes e, para muito além delas, estrelas incontáveis. (Em algum lugar, um pai talvez mostrasse estrelas cadentes a seu filho, veja, Marco. Veja, Flávio. Talvez.)

Clarice e Tomás colheram seis laranjas maduras. Quando ela era apenas uma menina tímida e obediente, antes do Rio de Janeiro, antes de Ilton Xavier, antes das cicatrizes nos punhos, quando aquela casa de colonos ainda sequer sonhava com Tomás, Clarice e sua irmã trepavam nas goiabeiras para encher a barriga com os frutos maduros em que frequentemente também se banqueteava um verme.

Já imaginou quantos bichos a gente já deve ter comido sem saber?, sugeriu Maria Inês certo dia.

Clarice fez uma careta de nojo e negou com veemência aquela possibilidade: a gente sempre presta atenção.

Nenhuma atenção é suficiente. Talvez a gente já tenha engolido pedaços de bicho de goiaba. Só uma cabeça, ou um rabo. E se a gente engoliu a cabeça? Bicho de goiaba tem cérebro? A gente comeu cérebro de bicho de goiaba, Clarice.

Maria Inês encontrava um prazer mórbido em tudo o que pudesse desgostar, chocar, atemorizar, causar repulsa. Quando o primo João Miguel chegava para as férias, ela sempre ia recebê-lo com um sapo ou um besouro nas mãos, mas aquilo parecia ser parte da sua forma de amar, pois também era verdade que cuidava do primo João Miguel e que, apesar de mais nova, protegia-o de tudo e de todos com aquela sua coragem quase arrogante.

Clarice não sabia nada sobre o quadro de Whistler. Nem o conhecia. Tentava sentir gosto de vodca enquanto bebia seu suco de laranja sentada no chão da sala de Tomás, as costas contra o sofá de dois lugares que Cândido refugara alguns anos antes porque já então estava velho demais.

Pensando em Cândido, Clarice perguntou como vai aquele sujeito que compra seus quadros, o dono da galeria?

Continua interessado nos seus trabalhos, Tomás respondeu, e indicou com a cabeça um torso feminino esculpido em mármore por Clarice, que ocupava sozinho uma prateleira suspensa na parede. Não havia pernas, nem braços, nem cabeça. O tronco curvava-se para o lado, ligeiramente para trás, e os ombros estavam abertos. Aquela mulher incompleta esticava braços inexistentes para receber o quê? Que dádiva? Que punição? Sobre a pele irregular, propositalmente rude, estavam ainda as marcas do cinzel. Como se aquela pequena obra devesse ser incompleta. Ou ambivalente. Metade escultura, metade pedra disforme. Metade mulher, metade sugestão. Metade real, metade impossível. Se tivesse olhos, talvez lágrimas escapassem deles. Como não os tinha, as lágrimas ficavam sugeridas em torno dela como um cheiro ou um espírito. A escultura toda quase chorava. Talvez fosse um autorretrato que, beirando o invisível, lembrasse um perigo.

Clarice ficou séria e olhou para os próprios pés, agora descalços: pequenos, malcuidados. Pensou: os pés da Maria Inês de outrora. Hoje sem dúvida sua irmã os tinha besuntados de creme, unhas feitas, meias de seda e sapatos caros da moda comprados nas butiques do Leblon, quem sabe até nas butiques de Florença. Calos, nem pensar. Mas tampouco aquilo fazia diferença, era apenas mais um preconceito. Clarice estudou sem paixão a escultura que dera de presente a Tomás. E disse acho que não estou querendo assumir compromissos, por ora.

Na verdade não era em nada daquilo que pensavam. O assunto principal era ela, Maria Inês. Sempre ela. Que pesava muito mais como ausência. Agora que viria, que chegaria no dia seguinte, virava uma espécie de exagero, de excesso de si mesma. Talvez assombrasse porque, podendo ser vista em carne e osso, podendo descer do limbo das ideias, corria o risco de desmistificar-se. Ou talvez fosse doer de fato. A conversa de Clarice e Tomás gravitava em torno de Maria Inês, ela sempre estava à distância de uma ou no máximo duas fáceis associações, mas nunca se nomeava. Era óbvia como o medo, mas arredia como a verdade.

Trio para trompa, violino e piano

Na madrugada em que Maria Inês nasceu, no interior do estado, caía uma chuva triste, modesta. Talvez por isso ela gostasse quando chovia manso, desde criança, como se o lacrimejar daquele instante estivesse impresso em sua memória da mesma forma como a cor escura dos olhos e cabelos em seu código genético. Maria Inês foi arrancada para a vida enquanto o Deus de seus pais debulhava um choro calmo sobre aquelas terras, e em algum lugar algo mais nascia, um broto a rebentar a semente, em silêncio. Com a gravidade das coisas sagradas.

Recebeu o nome da tia-avó paterna que morrera doida, mas seus pais, Otacília e Afonso Olímpio, não acreditavam que isso pudesse representar alguma espécie de presságio. Na família de Afonso Olímpio os nomes tinham a mania de se repetir. O dele, por exemplo: Afonso vinha do pai. Olímpio, do tio. Seu irmão, que ainda vivia nas Minas Gerais, era Mariano Olímpio, por causa de outro tio, cujo nome por sua vez derivava de uma antepassada Mariana que os registros tinham como meio santa. Se é que alguém pode ser santo pela metade.

A dor e o prazer. O mistério. A cabeça de Maria Inês era comprida como um charuto, mas a mãe não se assustou, Clarice também nascera com uma e outra deformação que os primeiros meses de vida haviam corrigido, não seria diferente com Maria Inês.

Otacília e Afonso Olímpio já não eram tão jovens, já haviam mesmo passado da idade que naqueles tempos se considerava habitual para ter filhos, mas seu casamento havia sido um pouco tardio. Quando todos já acreditavam que Otacília ficaria para tia, casados os irmãos, quatro, e as duas irmãs, Afonso Olímpio cruzou-lhe o caminho e semeou a ideia da salvação em suas fantasias dormidas.

Otacília tinha então vinte e oito anos, idade com que sua mãe já parira cinco vezes. E foi com secreta expectativa que fez as provas do vestido de noiva, que escolheu as flores do buquê e experimentou os sapatinhos forrados de cetim (comprados por certa tia rica não no Rio de Janeiro, mas em Paris). Com uns arrepios escondidos só seus, Otacília revisitou com desdém aquela ideia preta que era a de que iria morrer virgem. Pensou baixinho para ninguém ouvir: não ia! E com que gosto, com que prazer mandou comprar o baú para o enxoval e recheou-o de ideias, algumas exageradas, outras acanhadas, poucas cem por cento justas. Otacília e Afonso Olímpio. Ela, um redemoinho. Ele, um cheiro adocicado de fumo perdido na tarde, quieto, discreto.

O cunhado fez a fotografia que depois o padre abençoou e o irmão emoldurou: Otacília, véu, grinalda, cetim e rendas, eternizada no dia mais feliz e mais irreal de sua vida. Otacília quis se pendurar em lugar de destaque na sala da casa construída pelo marido, sede de uma fazendinha que não ficava longe da casa da infância dela, nos arredores daquele autêntico fim de mundo chamado Jabuticabais. Uma cidade que nem constava do mapa. A fotografia recostou-se junto à lareira, e ali dormiu para sempre.

Cada detalhe anatômico de Otacília era, por si só, belo, mas ela-inteira não fazia jus aos detalhes. A natureza escolhera um par de olhos azuis como águas-marinhas azuis e uns lábios deliciosos, e uns cabelos escuros finíssimos, e uma cinturinha delgada e umas mãos firmes decididas, misturara aquilo tudo, e o resultado fora insatisfatório. As irmãs invejavam-na por seus olhos azuis, sempre, mas perdoavam-na, já que elas, ao contrário, eram aqui e ali coisa nenhuma, mas resumiam-se em duas moças indiscutivelmente bonitas.

Afonso Olímpio, por sua vez, suscitara aqueles comentários em quase-surdina:

Vocês notaram que ele é um pouco…

Não acham que ele é meio…

Não sei, talvez eu esteja enganada, mas ele me pareceu...

Meio *mulato.*

O cabelo *ruim.*

Otacília intervinha, dizendo ele não é mulato coisa nenhuma! Afonso Olímpio é *branco,* só que tem a pele um pouco morena por causa do sol.

A pequena igreja de Jabuticabais ouviu os votos dela e aqueles de Afonso Olímpio durante uma manhã recém-lavada pela chuva. Nas ruas modestas havia poças d'água que ecoavam o céu indeciso. A fazenda próxima respirava mansa, à espera deles. Mansa, virgem, de todo inocente.

Depois, muito depois, Otacília conheceu a acidez de seu próprio silêncio, mas na distância daqueles anos leves ainda estava ensolarada e fácil.

É claro que o casamento nunca chegou a ser aquilo que Otacília imaginara. Mas esse assunto vinha a ser muito mais que proibido, e sobre ele não poderia conversar nem com as irmãs, as duas beldades de olhos-que-não-eram-águas-marinhas-azuis. Imaginava se, à noite, entre os lençóis, depois de rezar o terço e soltar os cabelos, suas irmãs sentiriam prazer em se unir aos maridos. Indagava a si mesma se sua mãe. Se as empregadas. Se as primas. Se as outras-mulheres-do-mundo. Se as prostitutas (proibidíssimo). E de todo o pensamento decantado o que lhe sobrava era a pontada amarga da desesperança, pois finalmente, conjectura após conjectura, deparava-se com o miolo da pergunta mais sincera: *seria diferente com outros homens?*

Estava casada havia sete anos e tinha duas filhas pequenas quando olhou para o próprio rosto no espelho e constatou que várias rugas ladeavam suas águas-marinhas azuis. Rugas que haviam se reunido secretamente ao longo daqueles anos, numa lenta conspiração. Em surdina, fez um pensamento proibido: o mundo não oferecia um inesgotável manancial de possibilidades. Não às criaturas do sexo dela, pelo menos. Tinha duas filhas, rugas em volta dos olhos e um marido que não completava seus sonhos, os sonhos que ele próprio inadvertidamente ressuscitara. Fazer amor era burocrático como descascar batatas ou cerzir um par de meias. Nunca, em sete anos, Afonso Olímpio lhe havia proporcionado aquilo que ela naturalmente esperara dele. Romance, olhares risonhos. O prazer das mãos unidas e dos corpos unidos. E alguma coisa que ela sabia definir-se por um nome proibido e mágico, *orgasmo.*

Tinha duas filhas, duas meninas que um dia seriam mulheres e fariam amor. Otacília não duvidava que suas filhas saberiam: o orgasmo. Isso agigantava-as a um nível quase insuportável. E que diabos seria aquilo, *orgasmo?* Imaginava que talvez se assemelhasse a um transe. Ou a uma sensação de liberdade como a que experimentara certa vez, galopando uma égua de raça, ainda criança, com um temporal de fim de tarde dardejando-lhe os olhos semicerrados e o sorriso aberto. Seria talvez como estar bêbada? Certa vez tomara um pouco mais de ponche do que o permitido, às escondidas. Tinha uma vaga ideia do que era estar bêbada. Ou seria como tatuar no corpo a conjunção de todos os demônios, de todas as palavras proibidas. Talvez fosse algo semelhante ao vapor escapando pela válvula de uma panela de pressão e fazendo crer, por um instante, que algo mais havia na vida além de rotina e mediocridade e rotina. Cerzir meias, fazer amor.

Maria Inês abriu os olhos e alcançou a toalha. É claro que o casamento nunca chegou a ser aquilo que ela imaginara, mas a culpa era sua por ter imaginado. Fantasiado, sem se indagar sequer se ela própria cabia na fantasia. Esse assunto a aborrecia e ressecava-lhe a alma. Do mesmo modo como uma gaveta de seu armário guardava bilhetes antigos, cartas, recortes de revistas (entrevista de Bernardo Águas), pequenos e obsoletos fetiches, assim também uma das cavidades de seu coração recolhia uns retalhos velhos da vida. Um dia, uma família, uma menina chamada Maria Inês. Um dia a infância, tão irreal, e uma árvore de dinheiro. Um dia o menino João Miguel, o jovem João Miguel, o cúmplice primo de segundo grau. Um dia o amor, os amores. E os desenhos e um quadro de Whistler chamado *Sinfonia em branco*. Nada disso existira de fato. Tudo se dissolvera como se dissolve uma pedra de gelo mergulhada no calor rigoroso dos verões da cidade. Não Jabuticabais: a outra, a cidade grande.

A verdade era muito mais intensa. A verdade era feita de pequenas e amorosas pontadas de dor. Como aquela pontada de dor: sentados no Café Florian, em Veneza, ela e o marido João Miguel, que falava tão bem o italiano. Maria Inês levantou-se para comprar cartões-postais logo adiante, demorou não mais do que dez minutos. Dez minutos. O Florian, na Piazza San Marco, o Florian de Proust e Wagner. E Casanova. Por dez minutos João Miguel sentou-se sem Maria Inês à mesa do Florian. Mais tarde, sozinha no quarto do Hotel Danieli. Ela compreendeu que os vícios e as virtudes eram quase sempre somente uma diferença de perspectiva, e não raro intercambiavam-se como numa ciranda.

Ela esfregou os cabelos curtos. Levantou-se e deixou um rastro úmido no chão do banheiro e voltou a se encontrar no espelho com indiferença. Pensar no Florian não era aconselhável. Não era. Ela e seu marido eram bons convivas, por opção. A balança ia equilibrada com sorrisos, sem sexo, com cordialidade e beijos curtos, com aparelhos de ar-condicionado, sem cachorrinhos de estimação, sem desejo, com os pijamas e camisolas que já não se despiam, com a mesma cama dividida (não compartilhada).

Definitivamente, não era bom pensar no Café Florian. Mas o jovem veneziano chamado Paolo entrava pela memória de Maria Inês feito dor de cabeça. João Miguel Marido falava muito bem o italiano, João Miguel, um poliglota, essa capacidade que Maria Inês nunca adquirira, com muito custo fizera vingar um inglês trôpego e rasteiro. E então o jovem veneziano chamado Paolo. Maria Inês cruzava a Piazza San Marco entre uma multidão de pombos e levava nas mãos uma pilha de cartões-postais. À mesa do Florian, João Miguel estava acompanhado de um jovem veneziano chamado Paolo. Nas mãos de Maria Inês uma fotografia emoldurada por laterais brancas e encimada pelo nome *Venezia* exibia um canal de águas verde-escuras e um prédio de janelas mouriscas e uma árvore de galhos secos projetando-se sobre um muro descarnado. *Venezia.* Uma pontada de dor — apenas isso.

Maria Inês se lembrava: no dia seguinte enviara o cartão com as janelas mouriscas e a árvore de galhos secos para Clarice, devidamente composto de palavras cordiais. Como de costume, a verdade não se dizia, sequer se insinuava. A verdade da dor e de um belo jovem veneziano chamado Paolo.

E de outras, outras dores. Mais antigas. Muito mais antigas e persistentes.

* * *

Ela se decidira pela viagem até a fazenda (onde certa vez plantara uma árvore de dinheiro com o primo João Miguel) uns dez dias antes. Na noite de Natal. Uma decisão ousada, quebrando um punhado de itens daquele protocolo que ela mesma concebera e adotara. Sua forma. Não iria acompanhar João Miguel na viagem aos domínios do *vecchio* Azzopardi, *papa* Giulio. E isso era triste e alegre feito carnaval e cinzas, equivalia a perceber que as fantasias estavam ficando apertadas, ou largas demais, ou feias, amarrotadas, puídas.

A resposta de João Miguel à ousadia dela havia sido a indiferença mais completa. Maria Inês ouvia-o ao telefone, naquela noite de vinte e quatro de dezembro, e ele dizia acho que por ora a gente pode manter a aula de quinta-feira. Depois a voz involuía a um murmúrio. O professor de tênis. Um calafrio breve percorreu os pelos dos braços de Maria Inês.

Um belo jovem veneziano chamado Paolo, à mesa do Florian.

Na noite de Natal, sua filha Eduarda sentava-se no sofá branco e punha para tocar alguma música que Maria Inês não conhecia. *There's a little black spot on the sun today,* dizia. Eduarda cantarolava junto. Acabara de completar dezenove anos. Naquela noite de vinte e quatro de dezembro ouviu, enquanto João Miguel estava ao telefone com o professor de tênis, a decisão de Maria Inês: logo depois da passagem do ano, vou para a fazenda. Prontamente, Eduarda determinou vou também, e não foi possível fingir para si mesma não perceber que um véu de suavíssimo alarme nublou a expressão de sua mãe por um segundo veloz.

Na fazenda, havia uma pedreira proibida. Havia uma casa antiga que abrigava sentimentos proibidos. Havia também uma certa Fazenda dos Ipês onde um homem enlouquecido pelo ciúme cometera um crime paralelo. Havia uma árvore de dinheiro que nunca brotara.

Havia mais: uma criança de nove anos de idade. Uma porta entreaberta. A náusea, o medo. Um homem maduro. Um seio pálido que o olhar fisgava sem querer: a porta entreaberta. Uma mão masculina madura sobre o seio que era de uma palidez vaga, quase fantasmagórica.

A fazenda fora um dia o epicentro da vida e dos sonhos de Maria Inês. Depois, regurgitara pesadelos. Fazia dez anos que ela não punha os pés lá. Fazia dez anos que ela não via Clarice, sua irmã.

Alguém quer vinho?

João Miguel estava bonito, bem-vestido. O cabelo grisalho cheio e os olhos pretos que antes, muito antes, brilhavam de expectativa enquanto plantavam uma árvore de dinheiro. A princípio ele teria sido chamado Michele, em honra a um tio morto precocemente, mas o nome acabou traduzido porque no Brasil lhe traria inevitáveis problemas com a confusão de gêneros. E aí ganhou aquele complemento, João, porque a mãe adorava nomes duplos e em certa época o pai gostava de satisfazê-la. Enquanto ela ainda era uma novidade, fresca como o jornal do dia.

Maria Inês perguntou se o professor de tênis não gostaria de aparecer para a ceia. João Miguel respondeu que o professor de tênis naturalmente iria ficar com a própria família, ele tinha família. E Maria Inês pegou a taça de vinho que o marido lhe oferecia. Porque, afinal de contas, a origem de tudo era tão obscura. Tão incerta.

A família que viria para o Natal compunha-se de alguns primos e meia dúzia de tios. Nos presentes sob a imensa árvore de Natal estavam os nomes de cada um. Maria Inês foi até a aparelhagem de som e abaixou um pouco o volume da música que dizia qualquer coisa sobre ser *the king of pain*.

Examinou as próprias unhas, bem-feitas e esmaltadas com a cor da moda, depois alisou o vestido que a deixava com jeito de móvel, combinando com o resto da casa.

Eduarda olhava-a repetir os gestos falsos que eram como contas de um rosário nas mãos de um ateu. Levantou-se e trocou a música por alguma coisa de Maria Inês. Brahms, trio para trompa, violino e piano. Opus quarenta. E voltou a olhar para a mãe, que de súbito lhe pareceu tão pequena e quebradiça. Havia alguma óbvia realidade paralela latejando sob aquelas referências à fazenda. Sob o nome de Clarice, sua tia que fora alcoólatra e toxicômana, que uma vez cortara os próprios punhos com uma faca Olfa (nem como suicida ela prestava). Mas não era uma pegajosa verdade que Eduarda buscava ao decidir acompanhar sua mãe na viagem à fazenda (ao passado). Nem bem conhecia seus motivos. Talvez apenas desejasse estar presente.

Presente. Como um presente.

Depois chegaram os tios e os primos com seus sorrisos bonachões ou entediados. Estavam quase todos muito bronzeados e as mulheres se vestiam e se maquiavam com exagero, era possível sentir a temperatura ambiente aumentar bastante só em olhá-los, apesar dos vinte-e-três--mil-BTUs. Algumas primas tinham a cara esticada por cirurgias plásticas. E pelo menos uma enfiara no corpo um par de peitos de silicone. Havia uma moça meio tristonha que se sentava num canto e ficava contemplando palavras e ruminando pensamentos. Havia uma histriônica (a voz dela lembra a daquela babá do seriado, pensou Eduarda) que ficava o tempo todo apertando e mordiscando uma criancinha de colo. Isso quando não brincava de atirá-la repetidas vezes para o alto, o que deixava a menina tonta de medo. Havia um pedante que falava sobre jogos de golfe ou safáris modernos pela África. Havia um intelectual maciço e um tanto aborrecido que acabou ganhando a atenção de Eduarda quando juntou futebol e filosofia para comentar o jogo inventado pelo Monty Python, Grécia versus Alemanha, o gol de Sócrates, a arbitragem de Santo Agostinho e Santo Tomás de Aquino. Havia uma jovem moderninha de *piercing* no nariz e cabelos quase raspados. Rica. Com roupas compradas em algum sebo londrino e tênis fosforescentes. Havia um roqueiro imberbe com cabelos compridos e camiseta do Guns'n'Roses encobrindo um peito magro e uns braços magros, que estudava guitarra e sonhava em tocar o solo de *Stairway to Heaven*. Bebericavam bebidas caras e falavam sobre assuntos murchos. Eram como peixes pescados aqui e ali, ao acaso, e comprimidos dentro de um mesmo aquário.

Maria Inês bebeu uma, duas, três, sete, oito taças de vinho. Aniquilou as formigas que corriam em seu cérebro e começou a perceber que a noite dançava, como num sonho. Seu Natal era tão azul (*gelée exfoliante*) e branco e prata. Tão irreal. Ela e o marido trocavam sorrisos que não tinham gosto. Depois que o vinho começou a depositar chumbo em seus pensamentos, Maria Inês cambaleou pela sala numa desajeitada valsa solo e foi aterrissar na grande poltrona de couro do escritório. Lá, na penumbra, certo primo (ou seria um jovem tio? Como era mesmo seu nome?) investigava as lombadas dos livros da estante enquanto seu copo exalava bolhinhas.

Mais uma dissidente, ele disse ao ver Maria Inês.

Ela sorriu por hábito e falou eu bebi muito.

O primo (tio?) suspirou e disse é o que eu deveria fazer. Não quero ser ofensivo, te acho uma pessoa muito bacana, mas essas festas de fim de ano.

Maria Inês quis lembrar-lhe que não era obrigado a comparecer. Mas uma ponta de solidariedade fez com que apenas sacudisse a cabeça e completasse a frase. São um saco.

Ele voltou a olhar os livros. Depois disse, cheio de autocomiseração, você sabe que eu e a Luciana nos separamos.

Maria Inês teve que fazer um grande esforço para se lembrar: Luciana, uma garota ruiva. Bonita. O Natal anterior.

Eu não sabia. Quando foi?

Faz um mês amanhã. As meninas estão com ela.

Vagamente apareceram na memória de Maria Inês os rostinhos pálidos de duas gêmeas ainda pequenas, ruivas, de maria-chiquinha e usando presilhas iguais. Presilhas do Mickey Mouse. Agora sabia que João Miguel lhe dissera qualquer coisa a respeito. Não havia prestado atenção.

Um garçom vestido a caráter apareceu do nada e ofereceu bebidas da maneira como havia sido treinado para oferecer. Serviu. Retirou-se. Seu Natal resumia-se a embebedar os ricos num apartamento no Alto Leblon e comer canapés às escondidas. O tio (primo?) foi sentar-se num pufe com estofado preto e branco de couro de vaca, aos pés de Maria Inês.

Há algo que preciso te dizer. Depois suspirou: não sei se você está preparada para ouvir.

Maria Inês olhava-o com sono e uma expressão que parecia afirmar o óbvio, *não sei o que você tem a me dizer, logo não posso saber se estou ou não preparada para ouvir*. Se P, então Q. E ficou brincando mentalmente com o paradoxo, se eu soubesse o que tem a me dizer, talvez reconhecesse não estar preparada para ouvir, mas então isso já não faria diferença, pois eu já teria ouvido. Riu, mas logo recolheu o riso, porque o tio (primo?) estava grave.

Acho que a Luciana e o seu marido estão tendo um caso. Pensei nisso há pouco. Parece que eles têm se encontrado.

Maria Inês tomou um gole de sua taça, um gole branco, fresco, e olhou para o chão de mármore branco semicoberto por um tapete de desenhos geométricos em que alguém havia deixado cair um cigarro aceso, agora havia ali a mácula de um círculo negro.

Pode ser. Não sei nada a respeito, mas pode ser, ela disse, e depois perguntou se ele ainda trabalhava com cinema e se achava que *O que é isso, companheiro?* tinha chances de ganhar o Oscar.

Ninguém suava. Vinte-e-três-mil-BTUs. Vieram avisar a Maria Inês que algum parente de Manaus estava no telefone. Ela pediu licença ao tio/primo e foi atender no quarto. Feliz Natal para você também. Depois largou seu corpo sobre a cama. Estava cansada demais. Cansada por motivo nenhum. Cansada sem direito de estar e por isso mais cansada ainda. Eduarda chegou à porta para ver sua mãe, grande-pequena, e lembrou-se daquele jogo de palavras que repetia, quando criança, um homem alto-baixo gordo-magro sentado-em--pé num banco-de-pedra-de-pau calado dizia que um surdo ouvira um mudo dizer que um cego vira um coxo a toda pressa correr. E daí passou a um outro, àquele cheio de imagens mágicas que dizia hoje é domingo do pé de cachimbo, o cachimbo é de barro e bate no jarro, o jarro é fino e bate no sino, o sino é de ouro e bate no touro, o touro é valente e bate na gente, a gente é fraco e cai no buraco, o buraco é fundo, acabou-se o mundo. Três tristes tigres. O rato e a roupa do rei de Roma.

Mãe.

Maria Inês abriu os olhos devagar e disse bebi muito.

Eduarda absolveu-a dizendo não faz mal, hoje é festa.

Sentou-se na beirada da cama e olhou para as unhas bem-feitas de Maria Inês e olhou para suas próprias unhas roídas.

Minha mãe tinha olhos muito azuis, disse Maria Inês. Você não saberia.

Eduarda concordou com a cabeça. Ela não saberia. Claro que não. Eduarda não chegou a conhecer Otacília, que morreu antes do seu nascimento.

Maria Inês segurou nela seus olhos escuros, os olhos que não haviam copiado as maternas águas-marinhas azuis e que estavam pejados de confissões adiadas. Ambas pensaram na fazenda e em Clarice, a irmã e a tia Clarice. E em algo mais cujo nome Eduarda não conhecia mas que Maria Inês revolvia em sonhos havia tanto tempo.

Você tem certeza de que não prefere viajar com seu pai.

Tenho, respondeu Eduarda.

Maria Inês voltou a fechar os olhos. Respirou fundo e mais uma vez acreditou que era possível.

Um homem, alto-baixo gordo-magro, sentado-em-pé num banco-de-pedra-de-pau.

Quem é mesmo aquele parente do seu pai que trabalha com cinema? Aquele meio careca.

Um cara chamado Artur. É um primo de segundo grau.

Como eu.

Sorriram.

Ele veio me fazer confissões.

Separou-se da mulher. Parece que na verdade foi ela quem o deixou falando sozinho.

Eduarda não precisava que lhe sugerissem que seu pai andava vendo a ex-mulher do primo Artur. Não precisava ser vidente ou adivinha para saber que seus pais não se beijavam mais. Provavelmente não faziam mais sexo. Sua mãe tinha um amante eventual que morava em outro país, um antigo colega da faculdade de medicina, encontravam-se uma vez por ano ou coisa assim. Seu pai andava vendo a ex-mulher do primo Artur. O prazer da sedução, tão fugaz, desmanchando-se tão cedo, tão cedo.

Mas Eduarda não sabia, por exemplo, a respeito de um jovem veneziano chamado Paolo. *Sentado-em-pé num banco-de-pedra-de-pau à mesa do Café Florian e os pombos da Piazza San Marco atapetando o chão. Os canais mal-cheirando bem. O bom cheiro ruim, como o cheiro dos excrementos dos bois na fazenda. Veneza, um sonho, um pesadelo.*

Bebi muito, Maria Inês repetiu. A que horas os primos vão embora?

Mamãe, ainda é cedo. Nem servimos a ceia. Você quer que te traga um café forte?

Maria Inês fez que sim com a cabeça e disse quero um café forte, um café e uma Coca, por favor.

Ela ouvira dizer que era aquilo que mantinha os caminhoneiros acordados, muito café e muita Coca-Cola. Outros prefeririam usar cocaína, como Clarice. Em outros tempos, antes da clínica. Antes dos punhos cortados, do hospital e da clínica. Enquanto Eduarda ia à cozinha Maria Inês virou-se de lado e olhou para o porta-retratos antigo e imenso que contava segredos sobre sua mesa de cabeceira. Havia várias fotografias recortadas que compunham um mosaico, ali. Eduarda pequenininha brincando nas dunas de areia de Cabo Frio. Eduarda e suas inseparáveis amigas Nina e Dedé uniformizadas e arrumadas para um primeiro dia de ano letivo, cabelos penteados e repartidos impecavelmente, roupas novas, tênis branquíssimos e sorrisos temerosos. A *senhora* Clarice em mil novecentos e setenta, fantasiada de noiva. Maria Inês e Clarice com sete e onze anos de idade, respectivamente, antes daquela convulsão do planeta, quando as rotas se inverteram e as estações perderam a naturalidade. Antes daquela porta entreaberta e daquela visão de uma mão masculina sobre um seio pálido de menina (mais pálido que a tristeza, mais triste que a infância interrompida).

Maria Inês pensou que sua filha era quase bonita. Longilínea no corpo e nas expressões do rosto, dona de palavras calmas e de ideias fluidas, ideias de correnteza de riacho. Tinha olhos transparentes, mas não como as águas-marinhas azuis de Otacília. Eduarda era leve, arejada, de gestos simples. Eduarda era uma moça feita de verão.

Ela voltou ao quarto com uma pequena bandeja sobre a qual fumegava a cafeteira. Uma xícara. Nenhum açúcar. E também a lata vermelha preta prateada de Coca-Cola.

Pronto, mãe.

Os sentidos de Maria Inês rodopiaram sobre si mesmos, fechar os olhos era pior porque a cama começava a afundar no chão movediço, a oscilar como embarcação em mar revolto.

Quando vamos viajar?, perguntou Eduarda.

Minhas férias do hospital começam dia dois. A gente espera até seu pai viajar. Podemos ir no dia seguinte, é uma segunda-feira.

Quanto tempo vamos ficar?

O tempo que quisermos. Um dia, dois, dez, um mês.

Ou a vida inteira?

Ou a vida inteira. Você quer?

Talvez.

Há alguém que pretendo reencontrar lá, além de minha irmã.

Eduarda fez que sim com a cabeça e não arriscou perguntas. Maria Inês estava embriagada e poderia fazer confissões indesejáveis. De qualquer forma, Eduarda prezava aquela distância, uma saudável distância entre mãe e filha. Cada uma cuidando de seus próprios segredos. Em sua idade, era compreensível, ainda que não houvesse sido sempre dessa forma e ainda que, provavelmente, novos padrões aguardassem no futuro, quando as décadas que separavam mãe e filha deixassem de ser décadas e se tornassem um número vago, apenas uma pequenina informação de carteiras de identidade.

Mais um pouco de café?

Maria Inês aceitou. Depois se levantou da cama com um cuidado extremo, como um doente em pós-operatório, e seus gestos davam a impressão de que todo o seu corpo doía. Alisou o vestido e passou os dedos pelos cabelos curtos e arregalou os olhos diante do espelho e por causa desse gesto pensou em Chapeuzinho Vermelho, para que esses olhos tão grandes, vovozinha?

Para enxergar todas as palavras que não são ditas.

Voltou para a sala, e João Miguel cochichou-lhe as pessoas já estavam começando a perguntar onde você estava.

Maria Inês acariciou-lhe suavemente o punho machucado, tão suavemente que ele mal chegou a sentir seu toque. Asa de inseto. Asa de inseto preguiçoso. Asa de inseto preguiçoso e manso.

Espero que sare logo, ela disse, e em seguida foi até a aparelhagem de som, onde pôs para tocar mais uma vez o trio de Brahms. Trompa, violino e piano. O adolescente roqueiro imberbe de cabelos compridos e camiseta do Guns'n'Roses lançou-lhe um olhar de franca desaprovação.

No hospital da rede estadual em que Maria Inês trabalhava havia gente que nunca vira uma raquete de tênis ao vivo, que nem imaginava o que eram os canais de Veneza e que daria gargalhadas (acesso de nervosismo) se visse os preços do menu dos restaurantes elegantes. Tudo isso por um bife? A senhora está brincando, doutora.

Lá, Maria Inês era a doutora. Ainda que quase duas décadas se tivessem passado, tinha alguma dificuldade em reconhecer-se naquele tratamento que nunca chegara a afagar-lhe o ego. Não era uma boa médica, mas gostava das pessoas que atendia. Ela trabalhava com dermatologia. Micoses. Acne. Lúpus discoide, pênfigo. Dermatite psoriática. Piodermites. Escabiose, dermatite actínica, urticárias, hanseníase. Carcinomas de pele. Leishmaniose cutânea.

Seu chefe certa vez classificara-a injustamente como uma típica burguesa entediada que faz um trabalhinho social entre a manicure e o chá, como se desse esmolas a um mendigo no sinal de trânsito, sem abrir demais o vidro elétrico de seu carro importado, é claro, para não correr o risco de ser assaltada. O mesmo chefe foi afastado do cargo um mês depois, quando sua assinatura apareceu em notas de compra de material cirúrgico superfaturado, procedimento corriqueiro, que infelizmente, na ocasião, acabou vazando para a imprensa. O chefe mudou de setor.

Otacília e Afonso Olímpio já estavam mortos quando Maria Inês se diplomou pela Universidade Federal: turma de 1979. Entre os outros jovens com anéis de esmeralda (falsa ou verdadeira) nos dedos e cartuchos nas mãos havia um rapaz chamado Bernardo Águas, que tinha uma bela voz de barítono e acabou largando a medicina por uma carreira de cantor que internacionalizou-se rápido. Música antiga. Recentemente ele fora consagrado no seleto círculo mundial dos apreciadores do gênero ao lançar um disco ao lado da soprano Emma Kirkby e do alaudista Hopkinson Smith. Eram de Bernardo Águas os braços em que Maria Inês se lançava de quando em quando, talvez uma ou duas vezes por ano. Quando estava no Rio, Bernardo Águas lhe telefonava, e os dois bebiam gins-tônicas em algum bar que se abrisse para o mar e ouviam música no carro e terminavam a tarde no apartamento que ele mantinha na cidade, fazendo um sexo performático que não tinha coisa alguma de amor e muito pouco de amizade. Era como um exercício que significava para cada um um ganho específico, ou a ilusão de um ganho específico. Maria Inês associava Bernardo Águas a tardes embaçadas pela maresia, a leves pileques de gim-tônica e àquelas suavíssimas canções renascentistas e barrocas que ele interpretava tão bem, Monteverdi, John Dowland, Marc-Antoine Charpentier, Purcell, Gesualdo, Lully, aquelas canções que pareciam não combinar com seu corpo amplo, a barba levemente grisalha e os cabelos presos num rabo de cavalo, o cacoete dom-juanesco. Dr. Jekyll e Mr. Hyde. Por ambos Maria Inês se sentia seduzida, mas talvez ainda mais pela aspereza daquele relacionamento, por sua superficialidade tristonha, por suas frases postiças e açucaradas.

Sabia que Bernardo Águas mantinha outras namoradas eventuais na cidade, e em outras cidades, que gostava de preservar seu harém *world-wide*. Ele não fazia segredo disso e chegou mesmo a comentar, certa vez, como um galo referindo-se às suas franguinhas: já pensou se eu comprasse um mapa-múndi e começasse a marcar todos os lugares onde já tive alguma namorada? E começou a enumerar: Rio, São Paulo, Curitiba, Londres, Louvain, Paris, Milão...

Babaca, pensou Maria Inês, mas voltou a beijá-lo. Ao lado de Bernardo Águas ela se tornava uma franguinha. Uma estatística. Um pino colorido num mapa-múndi. E não ter nome era, às vezes, confortável.

Havia uma esmeralda verdadeira no anel de formatura, presente de João Miguel, o primo de segundo grau e já então marido João Miguel, que no entanto nunca fora cem por cento favorável àquela decisão dela, os estudos, o trabalho. Você não precisa, ele dizia. Maria Inês precisava, mas era natural que João Miguel não compreendesse.

Na madrugada do dia vinte e cinco de dezembro, depois dos embrulhinhos coloridos que a família trocou e depois de mais algumas doses de Coca-Cola-com-café alternadas com vinho, Maria Inês deitou-se para dormir e sonhou com Bernardo Águas: um sonho erotizado e sem importância.

Maria Inês nunca sonhava com Tomás.

* * *

Ao acordar na manhã seguinte, João Miguel não tinha uma ressaca como aquela de Maria Inês. Por puro esquecimento ainda não acionara os vinte--e-três-mil-BTUs. Também ele, João Miguel, fabricara seus sonhos durante a madrugada e ainda estava envolto neles, borboleta na crisálida. Sentava-se na poltrona branca e olhava para aqueles curiosos copos-de-leite de acrílico, assumidamente falsos e de caules brancos, que se reuniam dentro de um vaso todo retorcido. O calor da manhã era gorduroso e mole, João Miguel notava-o em algum espaço anterior à sua consciência, mas nem aquele ar inchado chegava a incomodá-lo.

A vida: tão colorida e excitante. Como um prato de comida indiana ou uma volta de montanha-russa. Como um corte de veludo bordado com lantejoulas e canutilhos. Como os braços firmes daquela Luciana recém-descasada, que cheiravam a talco, que eram salpicados de pelos dourados. João Miguel sonhara com ela e acordara rígido como um adolescente. Teria podido estender a mão e tocar o ombro seminu de Maria Inês e talvez procurar algum alento no corpo dela, mas também podia manter tudo da forma como estava, acabou optando pela segunda alternativa e foi ressonhar seu sonho na sala-estufa.

Em algum apartamento próximo uma criança rica ganhara de presente de seu rico Papai Noel um brinquedo eletrônico cujos ruídos se podiam discretamente ouvir. Foi isso que acabou aborrecendo João Miguel e arrancando-o de seu devaneio. Diante da aparelhagem de som estava o trio de Brahms que ele pôs para tocar. Sentiu que talvez estivesse usurpando alguma coisa de Maria Inês, profanando-lhe um santuário, pichando palavrões nas lápides de seus antepassados.

Eduarda apareceu na sala e foi sentar-se no chão, perto dele, e comentou com alguma forjada impaciência, puxa, desde ontem só se ouve esta música aqui em casa.

Ela começou a comer tâmaras e figos e damascos secos que haviam sobrado da festa.

Você tem certeza de que não vem?, ele perguntou. Na viagem, comigo. Ainda dá para conseguir passagem, se você mudar de ideia.

Eduarda disse tenho certeza. Quero visitar a tia Clarice.

E lançou-lhe um olhar de ligeira provocação. Queria deixar óbvio que preferia a tia Clarice ao avô Azzopardi. Agredi-lo. Gratuitamente. Aquilo também (ainda) era cacoete da idade.

João Miguel alteou as sobrancelhas e deu de ombros num gesto um pouco prolixo.

Vai ter aula de tênis amanhã?, ela perguntou.

Acho que não, o punho continua doendo um pouco.

O timbre da voz dele fez Eduarda pensar em chocolate com menta: um timbre sofisticado, suave, doce na medida certa. *After eight*.

Eduarda pôs na boca mais alguns damascos secos. Achava aquela cor bonita. Sentiu leves pontadas azedas na língua. Brahms. Aulas de tênis. Ela usava uma blusa curta que revelava o umbigo onde se espetava uma pequena argola de prata. João Miguel esticou o braço até o prato onde estavam as frutas secas e apanhou uma tâmara.

A tarde está tão fresca e agradável. Os ciprestes cheiram bem e estão cheios daquelas sementinhas verdes que as crianças gostam de juntar. O momento é aquele exato, delicado, em que o sol já dobrou a fronteira dos morros mas ainda não terminou de recolher sua luz.

Nove anos de idade é apenas outra maneira de dizer: promessas. A vida é uma ampla costura de momentos exatos e cada gesto, uma infinitude. As esperanças são como a luneta que se arma diante do céu noturno e pleno, ou como o microscópio que fita a gota d'água. Como cheiram bem, os ciprestes! E esse corpo de menina, como corre fluido e fácil! Tudo é intenso. *Tudo importa,* não existe resíduo, não existe refugo. Tudo é aproveitável, até mesmo as sementinhas verdes dos ciprestes: mais tarde, as crianças farão delas uma moeda alternativa e negociarão:

Quanto custa este bolo de terra com confeito de margaridinhas picadas?

Cinco sementinhas de cipreste.

Um sorriso, dois sorrisos, três sorrisos. Um tigre, dois tigres, três tristes tigres. Esta é uma época em que o tempo *tem cheiro*. Seria possível fazer um *perfume de tempo*. É claro que esta menina de nove anos de idade já pensou nisso.

Ela corre, sozinha e feliz — a felicidade mais genuína, aquela que prescinde de reconhecer-se — por entre os ciprestes. Cada cipreste tem um corpo e um rosto, cada um tem uma alma, ela não duvida disso. Por isso pede licença quando vai tomar-lhes as sementinhas verdes. O céu está tão leve que olhando-o é possível ter a exata noção do infinito. Mas o infinito pode morrer em um segundo.

Ou: o infinito pode morrer em um segundo que vai congelar-se e durar para sempre, esse é o avesso do infinito, é a finitude absoluta. Um momento capaz de aniquilar todos os momentos exatos com sua pungente e trágica verdade. Um momento que apanha a infância pelo pescoço, imobiliza-a junto ao chão com uma chave de braço e esmaga seus pulmões delicados até que ela sufoque. Um momento que arranca o feto de dentro do útero e lhe interrompe a vida, que seca as raízes dos ciprestes e pisoteia os bolos de terra com confeitos de margaridinhas picadas.

O corredor da casa tem cheiro de chão recém-encerado. Ela caminha sobre as pontas dos pés, acha que assim já está treinando para bailarina, ela quer ser bailarina quando crescer e tem uma boneca (presente da madrinha) com tutu de filó, sapatilhas, rede nos cabelos e uma coroa de pedrinhas brancas que ela acredita serem diamantes genuínos, devem ser, a madrinha é muito rica. Suas mãos em concha levam várias dúzias de sementinhas de cipreste. Também ela está rica, tão rica quanto a madrinha.

A porta do quarto está entreaberta. A porta do quarto não costuma ficar entreaberta. Lá dentro alguma coisa se move, um monstro purulento de um olho só, que baba e grunhe e range suas mandíbulas horrendas. O monstro que devora infâncias. Será uma ilusão de ótica? A porta entreaberta revela uma cena que poderia ser belíssima: aquele volume pálido que a menina de nove anos de idade ainda não conhece em seu corpo. Um seio. Todo feito em curvas, sem nenhum ângulo mais agressivo, acompanhado por um ombro tão redondo, por um braço tão macio e por um pedaço de abdome liso como papel. Ela olha, fascinada, enquanto uma mão masculina aproxima-se e alcança aquela anatomia tão delicada, enquanto os dedos rígidos apalpam a base do seio, e depois escorregam por aquele vale vertiginoso e alcançam o bico trêmulo que mantêm um instante entre o polegar e o indicador. Como se estivessem dando corda a um relógio de pulso.

Ela vê. Depois, as sementinhas de ciprestes tombam-lhe das mãos em concha. Ela quer fechar os olhos para voltar o tempo. Naquele instante o sol começa a recolher sua luz mas a noite que se engendra é diferente de todas as outras: uma noite que já nasce morta. As sementinhas rolam pelo chão recém-encerado e uma lágrima de dor e de medo rola pelas faces túrgidas da menina que agora foge, ainda nas pontas dos pés. Não mais, porém, porque deseje treinar para bailarina. Agora ela quer evitar que a ouçam, não quer que saibam que sabe.

As sementinhas de cipreste estão espalhadas pelo chão.

Vermelhas rosas vivas

Quando a primeira borboleta da manhã abriu as asas e alçou voo sobre a pedreira aonde suas filhas estavam proibidas de ir, Otacília já estava de pé havia muito. Presenciara o nascer do dia e o dissipar lento das sombras que cobriam o vale como um tapete. O espírito da madrugada. Às três, quatro horas da manhã, o mundo era leitoso e vago, transformava-se numa espécie de intervalo, as coisas ainda não eram ou já haviam deixado de ser. Estar desperta, andar pela casa e pela varanda naquele momento equivalia a suspender-se no limbo, interromper-se temporariamente, testemunhar a vida pelo avesso — da maneira como ela *não* poderia ser. Com o sol, o feitiço ia progressivamente se desfazendo, e o mundo se aprumava e abria os olhos, e ela, Otacília, lamentava.

O casamento não era aquilo que imaginara e a vida, de um modo geral, não era aquilo que imaginara. Otacília tinha um jeito particular de exasperar-se e talvez se vingar. Estava trancada a sete chaves. Falava pouco, comia pouco, agia pouco, mas percebia muito.

Naquela manhã de verão, quente e úmida, tinha um par de lágrimas sobre o rosto. Uma decisão começava a tomar corpo, e era uma decisão de paz, embora fosse tardia. Embora já não se pudesse ter certeza de que fosse útil, em algum nível.

Por volta das sete e meia Afonso Olímpio levantou-se e foi para a mesa, onde a empregada já pusera o leite gordo tirado naquela mesma manhã e o café e o açúcar, a broa de milho, o pão, a manteiga, o queijo curado e o doce de mamão verde. Entre os muitos ruídos da manhã distinguiam-se nítidos o canto do sabiá-laranjeira e o canto do bem-te-vi.

Ele deu bom-dia a Otacília, que estava debruçada à janela e tinha nas mãos uma xícara de café onde secretamente derramara um dedo de conhaque, talvez parcialmente responsável por sua decisão de paz.

Ela se curvou sobre sua própria seriedade e respondeu bom-dia, Afonso Olímpio.

Ele estalou os ossos de todos os dedos das mãos em um único fluido gesto, suspirou fundo enquanto estudava sem pressa a mesa.

Hoje sem dúvida vamos vender o resto do feijão, os trinta sacos, disse, satisfeito.

Continuava tão parecido com o Afonso Olímpio que viera encontrar a Otacília solteira e desesperançosa na casa dos pais dela, o mesmo homem com quem ela se permitira ressuscitar alguns sonhos e com quem ela se casara no dia mais feliz e mais irreal de sua vida. Um mineiro de jeito mineiro, palavras contidas e gestos exatos, simplicidade. Era muito fácil acreditar em Afonso Olímpio e seu aspecto manso e suas tranquilas tardes de domingo com um livro no colo e um cachimbo nos lábios. Cinco dias ou cinco anos de convívio, a impressão geral era a de que ele não guardava surpresas na manga. E de que era até mesmo um tanto quanto medíocre ou limitado. Afonso Olímpio parecia ser feito apenas de superfície e, sem dúvida, essencialmente bom, de uma forma como só os mansos conseguem ser. Era pequeno, magro. Parecia pouco. Parecia resumir-se àquele fumo de cheiro adocicado que consumia com vagar. Agia como se padecesse da doença da normalidade.

Amanhã preciso ir ao médico, Otacília lembrou, e ele fez que sim com a cabeça, iria levá-la no automóvel que raramente tirava da garagem (fazia o motor girar um pouco de dois em dois dias, para que a bateria não arriasse), iria acompanhá-la e apoiá-la com o antebraço. Sobretudo, haveria de continuar fazendo o possível para que *ninguém soubesse,* sobretudo as meninas. Naquela casa vigia uma lei suprema segundo a qual as coisas podiam existir, mas não podiam ser nomeadas. Não podiam ser tocadas. E todos os códigos superficiais tinham de se manter, as aparências, os sorrisos, ainda que num outro nível perigosamente próximo tudo fosse profanação.

Otacília tomou fôlego, aprumou o timbre da voz e disse, num tom calmo, decidi mandar Clarice para o Rio de Janeiro. Estudar.

Afonso Olímpio terminou de mastigar o pedaço de broa que havia mordido. Depois tomou um gole de café e enxugou o canto da boca com o guardanapo. Não olhava para sua mulher, quase nunca olhava nos olhos dela. Tinham códigos similares, apesar de tudo. Tossiu uma tosse educada e contida e cobriu a boca com a mão esquerda enquanto a outra mão segurava pela asa a xícara suspensa. Lá fora os bem-te-vis e as sabiás não se incomodaram e continuaram cantando ferozmente.

Qual o motivo dessa decisão?, ele perguntou, e era calmo como sempre, voz baixa, palavras aveludadas.

Otacília fez um gesto vago com as mãos e disse é pelo futuro dela. Aqui não se pode estudar. No Rio de Janeiro ela pode fazer o científico, aprender francês ou música.

Afonso Olímpio continuava assustadoramente pequeno. Disse não sei se acho uma boa ideia.

Já conversamos a respeito, ela e eu, mentiu Otacília. Também já conversei com minha tia Berenice, que pode hospedá-la — mentiu de novo.

Você não perdeu tempo, ele disse.

Otacília se calou. Juntou as mãos da maneira como fazia para rezar, quando ainda acreditava em Deus e ia à missa dominical em Jabuticabais não só porque era o que socialmente se esperava dela.

Então você já conversou a respeito com sua filha, Afonso Olímpio repetiu e Otacília fez que sim com a cabeça.

O silêncio pesava, carregado de um milhão de significados proibidos. Otacília tinha medo. Afonso Olímpio, num certo sentido, também. Um medo tão mais atroz quanto imperceptível dos bem-te-vis e das sabiás que cantavam do lado de fora com suas vozes explícitas e cristalinas. Otacília notou que haviam esquecido de dar corda ao grande relógio de pé e o pêndulo pendia preguiçoso e mudo.

Pediu licença e se levantou e foi até o quarto de Clarice e girou a maçaneta, a porta nunca estava trancada porque naquela casa as meninas estavam proibidas de se trancar em seus quartos. Não a encontrou na cama e imediatamente adivinhou. Seguiu pelo corredor e abriu a porta do quarto de Maria Inês e lá estavam as duas adormecidas na mesma cama, em posições invertidas para melhor aproveitar o espaço. Maria Inês estava dormindo de boca aberta e um fiozinho mínimo de saliva escorregava do canto de seus lábios para o travesseiro. Sobre a mesa de cabeceira estavam um copo d'água tampado com um pires (Maria Inês tinha medo de engolir algum mosquito afogado durante a noite) e a boneca bailarina que era sua maior riqueza. No chão, junto à cama, estavam os dois pares de chinelinhos de pano, um amarelo, maior, e um branco e azul. Sobre a cômoda um besouro preto se arrastava com as patas cobertas de poeira. Maria Inês haveria de ajudá-lo ao acordar, limpá-lo, devolvê-lo ao jardim. Mesmo que à noite ele fosse repetir suas investidas impensadas e suicidas. Otacília não chamou Clarice, não disse nada, segurou nos olhos as lágrimas que mais uma vez surgiam (por tudo, por todas as afirmativas, por todas as negativas, pelo prazer, pelo prazer impossível, pela dor, pela ausência e pela presença imposta) e voltou a fechar a porta.

Na sala, pôde ver Afonso Olímpio de perfil à mesa do café. Ele estava inteiramente mudo, vazio. E seu rosto opaco não tinha significado. Ela sentou-se novamente à mesa em silêncio para comer metade de um pãozinho com manteiga, mesmo que não tivesse fome, apenas porque aquele era seu alimento de todas as manhãs.

Já haviam dado corda ao relógio e ajustado seus ponteiros escuros e rendados quando Clarice apareceu para o café. Sempre se levantava antes de Maria Inês, invariavelmente, e nunca aparecia despenteada como a irmã, de camisola, cheirando a sono: vestia-se toda, prendia os cabelos, calçava-se.

Bom dia, disse com sua voz baixinha, educada, e foi se sentar, encheu a xícara de leite, café e açúcar, cortou um pedaço de broa de milho.

Depois de alguns minutos de quase-silêncio (bem-te-vi, sabiá-laranjeira), Afonso Olímpio disse sua mãe me contava que andaram conversando sobre você ir estudar no Rio de Janeiro. Que você estaria de acordo.

Clarice lançou uns olhos surpresos para Otacília, pedindo-lhe socorro, mas o socorro não veio, e o canto dos pássaros apenas serviu para agravar a solidão, e o pai continuou e perguntou você está mesmo? De acordo?

Ela olhou para a xícara e fingiu que perseguia uma nata com a colher enquanto fazia que sim com a cabeça, espantada e esperançosa. Seu coração começara a chacoalhar como uma maria-fumaça sobre trilhos seculares, um tremor que lhe descia pelos braços e lhe alcançava as mãos, denunciando-a.

Nesse exato momento Maria Inês chegou, despenteada, de camisola, cheirando a sono, esfregando os olhos com as mãos fechadas. E Otacília quis acabar logo com aquele jogo, dar-lhe um desfecho rápido, portanto lhe disse, antes mesmo dos bons-dias, como se tudo já estivesse quase concretizado: veja só, Maria Inês, que boa notícia. Sua irmã vai para o Rio de Janeiro estudar.

Um monstro que vagava pelos cantos da casa emitiu um grunhido forte que o pai, a mãe e as duas meninas ouviram, mas para cada um aquele monstro tinha um rosto, e sua voz, um timbre distinto e secreto. Mais tarde, também Clarice chorou, e Maria Inês, pelos motivos que lhes cabiam de direito. Otacília não voltou a falar sobre aquele assunto pelo resto do dia, e ninguém soube que, no final da tarde, mandou selar um cavalo e foi sozinha até Jabuticabais telefonar para Berenice, sua tia solteirona da cidade grande, e fazer-lhe um pedido que não poderia ser recusado. Depois disso estava cansada, exaurida. Tinha febre, tomou um antitérmico. Então se trancou novamente com aquele intuito consciente, deixar-se passar — *o tempo é imóvel, mas as criaturas.*

Apanhavam argila na beira do rio. Clarice gostava da sensação dos pequenos grãos entrando sob suas unhas. Tinha três amigos: Damião, um negrinho de dez anos de idade que vivia às turras com Maria Inês. Lina, negra e bonita, ignorante da própria adolescência e dos olhares que arrancava dos homens. E Casimiro, que era lourinho como um anjo barroco e tinha a barriga quase sempre estufada por alguma verminose. Lina ia à escola, mas estava tão atrasada, ainda mal sabia ler. Casimiro e Damião não iam porque ajudavam na roça. Eram amigos, mas Clarice não disse nada sobre aquela história que ela mesma ainda não compreendia. Rio de Janeiro. Estudar. Estudar o quê? Morar onde? Com quem? Por quê? Porque. Ela sabia por quê. Mas devia calar.

E sabia calar. A vida inteira fora treinada para isso.

Lina, Damião e Casimiro ajudavam-na a apanhar argila na beira do rio, a argila que ela iria usar depois, nas esculturas que traduziam impossíveis, que davam corpo a sonhos e tentavam expurgar feridas, que buscavam exorcizar pesadelos e compor coisas dignas de se acreditar. As esculturas com que ela tentava se salvar. Seus pés estavam descalços e ela sentia, sob as solas grossas, as pedrinhas da beira do rio. Os pés de Damião estavam cheios de bichos-de-pé.

Depois você passa lá em casa, Damião, manda me chamar. Eu tiro esses bichos para você.

E o garoto suspendeu uns olhos incrivelmente pretos e incrivelmente brancos, de gratidão disfarçada. Muitas vezes Clarice fazia aquilo, com uma agulha de costura esterilizada no fogo arrebentava a bolsa onde o parasita ficava e punha ovos, sob a pele. Removia aquela nojeira purulenta e aplicava tintura de iodo. Damião vivia apanhando bichos-de-pé no quintal de casa. Estava sempre usando uns chinelos meio rotos. Os sapatos fechados que tinha para calçar eram umas botinas muito velhas e largas que algum patrão refugara e que ele guardava para quando ia à igreja.

Os cabelos de Lina estavam numa bagunça de fazer dó. Ela ainda não sabia que tinha seios de mulher adulta, vestia uma blusa branca muito pequena e gasta demais pelo uso. Parecia mais criança que o menino Damião. Clarice entreouvira certa vez uma conversa em que se explicitava a suposição, Lina, meio *retardada*. Mas era sem dúvida proibido falar sobre aquilo. Lina era adorável e gostava de trançar os cabelos de Clarice e gostava de sentar Maria Inês em seu colo como um bebê.

Um dia vou ter uma filha, dizia ela, que vai se chamar Maria Inês Clarice, por causa de vocês.

O pai de Lina vivia se embriagando e caindo pelos cantos da estrada. Sua mãe, lavadeira e passadeira, estava sempre com uma imensa trouxa de roupa magicamente equilibrada sobre a cabeça. Quase ninguém sabia que em raros intervalos encontrava-se com um homem mais sóbrio que o seu e por muito pouco não era feliz.

Senta ali naquela pedra e fica parada, Lina.

Para quê?

Vou fazer uma escultura de você.

Enquanto Clarice moldava a argila e se recompunha, se refazia, Casimiro comia um pouco da mesma argila, às escondidas. O dia estava claro, explícito, e moscas-varejeiras zuniam contra o azul dolorido do céu e libélulas vinham tocar a superfície do rio com voos rasantes. Duas delas apareceram engatadas.

Olha ali, apontou Damião, malicioso, e todos acharam cômica a cópula dos insetos, menos Clarice.

Cachorro é mais engraçado, assegurou Casimiro, e Lina falou que nada, vocês não viram cavalo.

Gente é que eu nunca vi, suspirou Damião, mas Clarice interrompeu e disse vamos parar com esta conversa agorinha mesmo!

Todos se calaram. Ela arrependeu-se do tom rude e emendou é que eu estou fazendo uma escultura e vocês me distraem com essas bobeiras. Mas suas palavras já estavam pintadas de tristeza. Uma nuvenzinha esgarçada maculou o céu e urubus começaram a sobrevoar em círculos um morro próximo. No chão, junto a Clarice, apareceu um carrapato imenso que ela esmagou com o pé. Depois tentou se concentrar naquilo que suas mãos empreendiam na argila, o corpo bonito de Lina que a escultura devia dizer daquele jeito, sensual sem saber, os trejeitos de criança nas formas de mulher.

Nesse instante a nuvenzinha esgarçada que vinha errando pelo céu ficou bem diante do sol, e tudo virou sombra, e Clarice sentiu um calafrio porque pela primeira vez lhe ocorreu a ideia adulta e tão pouco abstrata da morte. A escultura de Lina ganhou uns olhos fundos, mais tarde, quando Clarice tentava finalizá-la sob a luz de uma vela, em seu quarto, e foi assim que acabou intitulando-a, Morte. Sem saber que era um presságio.

Uma semana depois Otacília foi chamá-la durante a noite, já passava das duas horas.

Quero te mostrar a lua, Clarice. A lua acaba de nascer.

As duas foram para o quintal descalças, em silêncio. Uma lua gorda e amarelada crescia por trás do pinheiral e transformava as árvores em grandes esqueletos negros. O ar estava imóvel e quente. Mãe e filha não se deram as mãos. Havia alguma coruja piando bem perto, morcegos assoviavam e voavam rápidos entre as árvores, uma trilha negra de formigas cruzava o caminho entre um arbusto e um formigueiro inflado. Otacília e Clarice podiam ouvir o rosnar do monstro que não dormia.

Nós vamos nos ver pouco, disse a mãe, e Clarice sabia que ela se referia ao Rio e à sua temporada de estudos.

Entre elas não havia confissões, não havia trocas de carinhos, mas muitos e longos silêncios. Desde sempre. Sobretudo por isso Clarice surpreendera-se com aquela iniciativa, mandá-la para o Rio de Janeiro. Pois se tudo era tão subterrâneo, se tudo era tão secreto.

Além do mais porque eu estou doente, Otacília completou, quebrando momentaneamente o protocolo, quebrando seu acordo prévio e mudo com o marido.

Doente de quê?

Ainda não se sabe. Você não precisa pensar nisso, tem seus próprios assuntos. Depois acrescentou: e não precisa contar para Maria Inês.

Aquela era uma maneira suave de determinar um *proibido*. As duas não se olhavam.

Vai ser bom para você, mas nos veremos pouco.

Com quem vou morar?

Com minha tia Berenice. Ela tem um apartamento no bairro do Flamengo, perto do mar.

Clarice mordiscava a boca, aquele cacoete incurável.

Maria Inês vai sentir saudades, ela disse.

Bobagem, Maria Inês tem amigos aqui, e aquele primo João Miguel vem em todas as férias. Vocês podem se escrever.

Talvez ela possa ir me visitar, de vez em quando.

Otacília suspirou longamente, parecia enfraquecida, fez Clarice pensar por um instante na folha seca que se gruda tão tênue ao galho e que qualquer vento, qualquer brisa destaca e lança à sorte.

Talvez, Otacília respondeu.

Clarice não descolava os olhos da lua.

Os americanos vão mandar homens para lá, disse, apontando, mas logo retraiu a mão porque Casimiro lhe advertira que apontar para a lua (ou seria para as estrelas?) fazia nascer uma verruga na ponta do dedo.

Otacília sacudiu a cabeça e disse não vão conseguir.

Clarice cruzou os dedos e fez uma prece silenciosa, *eles têm que conseguir*. Achava aquilo muito importante, lançar-se no espaço, deixar o planeta, pisar um solo virgem onde ainda não houvesse nenhuma ideia plantada, nenhum desejo, nenhuma memória. Seria como nascer outra vez.

Depois ela se lembrou de que a meia-noite já passara e portanto já era seu aniversário, fazia quinze anos, aquela idade em que as moças promoviam lindos bailes durante os quais sorriam ininterruptamente, metidas em amplos vestidos cor-de-rosa, e dançavam o *Danúbio Azul* com seu orgulhoso papai. Ela não quis festa. Achava que quinze anos eram uma idade como qualquer outra, não tinham nada de especial, não havia nada para comemorar.

Qual é a doença que você tem, mãe?

Já disse que você não precisa pensar nisso.

Clarice queria abraçá-la. Queria embalá-la e acariciar seus cabelos, e depois soluçar a madrugada inteira em seu colo. O monstro insone soltou um gemido de dor e tropeçou em umas sementinhas de cipreste que estavam caídas pelo corredor — já tinham varrido aquilo havia muito, claro, e ninguém jamais desconfiou do que estava sendo plantado por aquelas sementes mortas. Mas Clarice não tinha como varrê-las da memória e talvez lhe doessem mais do que todo o resto.

Otacília disse: dentro de alguns anos, quando ela for um pouco maior, talvez Maria Inês possa ir para o Rio de Janeiro também. Quem sabe.

O coração trêmulo de Clarice iluminou-se, mas ela queria repetir a pergunta *mãe, qual é a doença que você tem?*, e a pergunta ficou hesitando em seus lábios porque mais importante do que dizê-la era não contrariar Otacília. Clarice engoliu a própria saliva com dificuldade, tinha um tempero amargo e quase sólido.

Agora vamos entrar, disse Otacília. Quero mandar você para a cidade dentro de uns dez dias, pense nisso e amanhã me diga se está bem.

Clarice obedeceu e pensou naquilo durante uma noite de completa insônia, uma noite em que ouviu ininterruptamente o monstro arranhar a porta de seu quarto. Estava mutilado. Ora gemia, ora grunhia, ora urrava. E então Clarice quis ir para o Rio de Janeiro, quis muito, naquele mesmo instante, rápido, a despeito de tudo, de Maria Inês, da doença de Otacília (fosse o que fosse), de Casimiro e Lina e Damião: para o Rio de Janeiro. Se fosse norte-americana, talvez pudesse ir para a lua. E respirar o universo imenso e finalmente sentir que nada mais tinha importância, que tudo se dissipava como poeira ou como a noite vagarosa manhã adentro, que tudo secava como uma poça d'água sob o sol.

O vento mudou de direção e aquilo significava chuva. Entre outras coisas. Maria Inês e o primo de segundo grau João Miguel estavam armando um balanço feito com corda e um pneu velho no galho mais baixo de uma mangueira, Clarice podia vê-los da janela de seu quarto enquanto, sozinha, punha todas as suas roupas e pertences sobre a cama. Arrumar as malas. Duas malas, e um pacote separado para os papéis. João Miguel e Maria Inês pareciam tão pequenos, *eram* tão pequenos. Maria Inês tinha os cabelos presos em duas longas tranças que o vento agitava e transformava por um instante em duas serpentes encantadas. O cheiro do ar não era bom.

Clarice havia tomado banho depois de sua mãe e notara que uma mecha de cabelos estava caída no chuveiro, perto do ralo, uma mecha grande. A água arrumara-a num rolinho perfeito. Como fazia calor, Clarice quis a água fria, mas ali a água fria vinha de nascente e era fria *mesmo,* fria demais, e deixou-lhe os lábios roxos. Vestiu-se toda no banheiro e sentiu com as mãos os próprios antebraços gelados, descobriu que o pequeno espelho lhe sorria e que uns marimbondos começavam a esculpir uma nova casa na janela. Calçou sandálias. E foi, em silêncio e só, arrumar as malas, porque viajava no dia seguinte.

Agora, escolhia. Estava vagamente alegre, como se tivesse recuperado alguma promessa, algum perfume de infância, alguma certeza de que a realidade cumpria-se *desse* jeito, e não *daquele.* Achou um vestido de que havia se esquecido completamente, já estava curto demais para ela. Poderia dá-lo a Maria Inês. E aquele par de sapatos, apertados. O vento fez uma janela bater em algum lugar da casa. Depois Clarice encontrou o vestido branco, novo, que não usava porque não achava que lhe caía bem, Maria Inês poderia ficar com ele também e esperar para usá-lo quando fosse maior.

Maria Inês iria usá-lo, quando fosse maior. E ensaiar passos de balé diante do espelho. E ser observada por um rapaz do prédio vizinho.

Uma moça que a memória sempre vestia de branco e juventude.

Antes de tudo.

Antes de quase tudo.

Quase antes de tudo.

O cheiro do ar não era bom.

À noite haveria um jantar de despedida (que vinha a ser também discretamente comemorativo dos quinze anos recém-completos de Clarice) para o qual estavam convidados meia dúzia de parentes que moravam em Jabuticabais e mais o fazendeiro vizinho com a esposa e o filho, um moleque franzino chamado Ilton Xavier. Que tinha aquele ridículo bigodinho incipiente dos adolescentes e gostava de fingir que reparava nas pernas e nas bundas de todas as mulheres. Que viria a ser o marido de Clarice. E o ex-marido de Clarice. Que depois, muito depois, compraria uma picape vermelha e cara.

Clarice tinha alguns livros: *Pollyanna. Pollyanna moça. As meninas exemplares.* E coisas desse tipo, pretendia deixá-los para Maria Inês muito embora soubesse que ela não iria ler. Maria Inês queria ler os livros proibidos. Queria escalar pedreiras. Clarice encheu duas malas e fez um pequeno pacote com papel pardo para seus papéis. Era tudo. Teria ficado satisfeita em levar menos coisas, ainda menos, deixar toda a pele morta para trás, se possível. Mas Otacília mandara encher duas malas. Embrulhar separadamente os papéis (não fossem estragar-se com alguma água-de-colônia que vazava).

Lina estava na cozinha. Tinha vindo ajudar com os doces. E Otacília, que chefiava, parecia diminuída, emagrecida, e trabalhava sentada num banco. Clarice apareceu para oferecer ajuda e descobriu que a cozinha estava transformada em alguma espécie de fábrica mágica, onde se misturavam cheiros poderosos e densos, onde se dispunham as cores todas e onde mulheres suadas e sujas de ovo e farinha faziam as vezes de fadas. O doce de leite fervia num tacho. Três compoteiras bonitas estavam sobre a mesa, uma delas ainda vazia, as outras duas, respectivamente: verde. Doce de mamão verde. Cor de abóbora. Doce de abóbora com coco. Lina estava descascando goiabas e comendo as cascas, tinha amarrado os cabelos com um lenço que pertencera a Otacília havia muito tempo, nele ainda se viam os vestígios das rosas que um dia haviam sido fulgurantes, vivas, tão vermelhas.

Você já acabou aquela escultura de mim?, perguntou a Clarice, e acrescentou, tão espontânea: não vai me dar ela de presente antes de ir embora?

As esculturas. Clarice escondera-as todas na cocheira, no alto de um amplo armário tosco que não se usava mais a não ser para abrigar velharias, refugos, inutilidades, instrumentos danificados que não estavam destinados a serem consertados.

Vou te dar de presente, sim, se você quiser. Mas você é muito mais bonita do que ela.

Lina riu-se. E disse amanhã de manhãzinha eu venho te dar adeus, você me dá a escultura.

Está combinado. E quero que você estude muito para poder me escrever cartas.

Lina fez um muxoxo preguiçoso, mas concordou, vou estudar.

Promete?

E ela fez que sim com a boca cheia de casca de goiaba.

A noite chegou nublada e suja, cheia de poeira e pensamentos vagos no ar. Enquanto Ilton Xavier chegava com um ramalhete de flores, sedutor precoce e bem-vestido, Lina comia um prato de arroz com feijão e lombo de porco na cozinha. Na última garfada começou a soluçar.

Não fica assim, Lina, Clarice falou. Nós vamos ser amigas sempre, eu vou ser sua madrinha de casamento e também madrinha da sua filha. A Maria Inês Clarice.

Lina engoliu o choro, pediu um gole de café e despediu-se com os olhos gordos de lágrimas.

Amanhã de manhã eu venho. Bem cedo.

E eu te dou a escultura.

Lavou a boca e as mãos no tanque que ficava do lado de fora, o tanque de cimento que fora datado e assinado pelo pedreiro como se também fosse uma escultura. Depois ela foi embora e Clarice observou-a se afastando, a roupa branca, o lenço que tinha lembranças de vermelhas rosas vivas.

Durante o jantar, tudo pareceu a Clarice tão perigosamente casual. Como sempre. Os sorrisos, as palavras, os olhares. Otacília sorria, incompreensível, febril. Afonso Olímpio sorria, pequeno e assustador. O relógio de pêndulo sorria por trás de uma camada nova de óleo de peroba e pontuava os segundos como um metrônomo. Mas Clarice teve muito medo quando encontrou o olhar de Maria Inês. Bêbado. Inflamado.

Comiam, bebiam e falavam. Um tio de Jabuticabais contou uma piada que Otacília considerou imprópria e recebeu com as sobrancelhas franzidas. O tio mudou de assunto e começou a falar do preço da arroba.

Não longe dali estava Lina, na estrada muda, no ventre da noite sem lua.

E Ilton Xavier fabricava uma frase em código para Clarice. Estava querendo conquistá-la, talvez mesmo roubar-lhe um beijo com o qual pudesse predizer o futuro.

E Maria Inês revelava um palíndromo para João Miguel sem saber que tinha aquele nome complicadíssimo, palíndromo: socorram-me, subi no ônibus em Marrocos, ela disse.

O que é que tem?

É a mesma coisa de trás para frente.

Lina ia para casa, cheirava a suor e sentia uma tristeza nova roendo-lhe o coração. Porque sua amiga Clarice ia embora. Estava disposta a aprender a ler e a escrever corretamente, assim poderiam trocar correspondência. Por hora, pelo menos teria a escultura, pelo menos.

João Miguel pegou um papel para escrever a frase e ver se dava de fato a mesma coisa de trás para frente. *Socorram-me, subi no ônibus em Marrocos. socorraM me subinô on ibus.* Naquela noite cada criança teve direito a beber uma taça de ponche. Só não poderiam tomar café, porque depois ficariam sem sono.

O homem saiu do mato, de trás de uma moita de ciprestes. Estava esperando por ela. Sabia de muitas coisas, embora não fosse dali. Sabia de muitas coisas e estava esperando por ela, Lina, e saiu feito uma assombração de trás de uma moita de ciprestes. A noite negra deixava-o uniforme e escuro, até o chapéu e os olhos. Bidimensional, como se não fosse gente, mas um desenho numa folha de papel.

Lina não gritou porque o primeiro gesto dele, rápido e calculado, foi tapar-lhe a boca com uma mão forte demais, exageradamente forte. Ninguém precisava de tanta força assim para tapar a boca de Lina, para impedi-la de gritar e subjugá-la.

Aquilo durou meia hora e significou muito pouco. Meia hora. Quase nada. Praticamente nada. Foi só então que chegou a chuva, imparcial, impiedosa, inclemente.

Cochichavam, na manhã do dia seguinte:

Eu sempre imaginei que uma desgraça dessas ia acabar acontecendo com essa menina.

Ela não era muito boa do juízo.

Meio *retardada*.

Talvez ela tenha provocado isso, não repararam como andava vestida?

Meio assanhadinha.

Meio sem-vergonha.

Clarice estava muda e pálida. Tinha nas mãos uma escultura com o corpo de Lina e o rosto da morte. Tinha diante dos olhos o corpo de Lina e o rosto da morte. Já não chovia, porém, porque estavam em fevereiro, e durante o verão tudo era sempre muito intenso e rápido — assim, durante a noite um temporal, na manhã seguinte o céu escandalosamente azul, Lina comendo um prato de arroz com feijão e carne de porco, na manhã seguinte Lina.

Ninguém imaginava quem era o homem. Alguém de fora. Pegara o corpo de Lina sem seu consentimento e usara dele como se fosse um prato de comida. Depois jogara fora. Sem hálito, sem vida.

Cada um tinha algo a dizer a respeito, mas logo Otacília e Afonso Olímpio decretaram que o ocorrido era rotulável como *proibido,* e mandaram Maria Inês e João Miguel para dentro de casa, e mandaram o motorista de táxi que esperava por Clarice (para levá-la à rodoviária de Jabuticabais, onde ela pegaria o ônibus para Friburgo, e dali para o Rio de Janeiro) ligar o motor do carro.

Ela não disse nada. Um vapor esquisito, irreal, subia do chão ainda úmido. Aquela manhã não comportava tanta coisa, estava transbordando. Sem consciência de seus gestos, Clarice abraçou-se à escultura de Lina morta e plantou-se diante de seus pais. Olharam-se demoradamente e pela primeira vez disseram a verdade com o olhar. Clarice e seus pais. Tudo ao redor estava tão confuso que fazia pensar numa terça-feira de carnaval com suas cornetas estridentes, seus foliões mascarados, suas chuvas de confete e serpentina. Um carnaval invertido. Nenhuma brincadeira: a verdade. Nenhuma fantasia: a verdade. E assim ficaram por uma eternidade, triangulares, inexpressivos. Ainda mais triste era pensar que, naquele momento, Lina morta era apenas uma coincidência. Sequer tinha lugar naquele olhar triplicado com que Clarice, Afonso Olímpio e Otacília diziam-se: *acabou.*

Lina também havia acabado, mas era apenas uma coincidência.

Maria Inês brigou com João Miguel, que não queria largá-la: me deixa sozinha um minuto, garoto!, e saiu correndo, perseguida por suas compridas tranças escuras. Foi olhar o carro que partia, que levava Clarice para o Rio de Janeiro. E no meio de tantas correntes elétricas que a percorriam encontrou espaço para improvisar uma espécie de oração dirigida a Clarice. *Por favor, sobreviva.*

Clarice entrou no carro que roncava baixo em meio a uma multidão de gente que ia e vinha, que chegava a cavalo, que chegava de carro, que torcia o rosto ou que chorava abertamente. Em algum lugar estava Lina que já não era mais Lina, que havia sido destituída daquilo que fazia dela Lina, e Clarice fechou os olhos com força e foi assaltada por uma lembrança violenta (que nada tinha a ver com Lina) de algo muito pior do que a morte, e disse a si mesma, sem saber, *por favor, sobreviva.*

Lina havia sido uma amiga. Aquela tragédia naquele momento específico, porém, queria dizer mais. Queria dizer além. *Acabou.* Mas o que significava *acabar*? As ideias mutiladas voltariam ao normal? A infância mutilada sofreria uma revolução, na memória, e *voltaria ao normal*? As sabiás e os bem-te-vis continuavam a cantar. O carro começou a se mover devagar e o motorista começou a dizer algumas coisas sobre o crime, soaram emboladas a Clarice, ela não conseguiu destacar nenhuma palavra com sentido daquela pasta amorfa de sons.

Não estava pensando em Lina, não especificamente. Sentiu-se enjoada e pediu ao motorista pare o carro um instante, por favor. Abriu a porta e vomitou na estrada de terra, a mesma estrada onde sua amiga fora estuprada e assassinada, aqueles eram os termos. Proibidos. Ali no chão, lamacento por causa da chuva, estava o lenço de Lina, o lenço em que um dia havia sido possível divisar vermelhas rosas vivas, fulgurantes, explícitas.

Depois Clarice olhou para trás, para casa, para o passado, e viu, na distância, o vulto magro e pequeno de seu pai.

"Si ch'io vorrei morire..."

Sempre ela, sempre Maria Inês. Que magicamente havia sido capaz de tatuar-se, de marcar-se como se marcam bois, a ferro e fogo, na existência de Tomás. E na existência de Clarice. Um arco-íris titubeante no céu depois da chuva. A retina maculada pela pós-imagem do sol. A cicatriz que sobrou da cirurgia, ou a cicatriz da faca Olfa. A fumaça que fica no ar apesar de já extinto o fósforo, o cheiro do incenso que sobrevive ao bastãozinho. Um lenço desbotado.

Na noite quente da fazenda, aquela noite de véspera que traria Maria Inês depois de tantos anos, Clarice disse a Tomás, enquanto fazia arabescos com um canivete num toco de madeira: tive uma amiga uma vez. Chamava-se Abrilina, para nós era apenas Lina.

Tomás acariciava o pelo do cachorro que agora viera deitar-se perto dele.

Ela morreu há mais de trinta anos, disse Clarice, e contou a história de Lina, da bonita Lina que era apenas coadjuvante, que era apenas uma coincidência, uma morte crua e cotidiana que as pessoas esqueceram rápido demais.

Naquele distante episódio, o jantar de despedida que era também comemorativo dos quinze anos de Clarice, Maria Inês lançou-lhe aquele olhar inflamado. Que Clarice nunca esqueceu e viu se repetir apenas uma única vez, intensificado, bastante para que Maria Inês se eternizasse.

Sempre ela, sempre Maria Inês. De um modo transverso. Imune ao tempo, imune à distância e a quaisquer tentativas conscientes ou inconscientes de afastá-la. Maria Inês que era o espelho torto capaz de revelar o pior. Que Clarice e também Tomás jamais poderiam perdoar. A quem Clarice e também Tomás jamais conseguiriam agradecer o suficiente, por tudo, por suas próprias vidas. Maria Inês oferecera, mas depois mutilara. Mutilara, mas antes oferecera. Sempre ela.

Quando chegou ao Rio de Janeiro e bateu à porta da tia-avó Berenice munida de suas duas malas e do embrulhinho feito com papel pardo, Clarice tinha o coração dividido em dois hemisférios. Em um deles pulsavam a tristeza por Lina e a urgência de um compromisso, esquecer o resto, pacificar o passado, porque sua amiga estava morta. No outro hemisfério, porém, palpitava o paradoxo, o absurdo, o imperdoável, e entre esses dois hemisférios ardiam os olhos de Maria Inês, e Clarice sabia que a história ainda não havia alcançado um fim.

Quando chegou ao Rio de Janeiro no ano de 1965 e bateu à porta da tia-avó Berenice munida de suas duas malas e do embrulhinho feito com papel pardo, Clarice tinha o coração dividido em dois hemisférios e o coração envelhecido como uma esponja usada. A tia-avó Berenice não fez perguntas e apenas a abraçou com carinho e sem melodrama. Depois mostrou o quarto que estava preparado, à espera dela, Clarice, um quarto tão diferente daquele que ocupara na fazenda. Que não abria as janelas para o verde e para as tranças de Maria Inês no balanço, mas para a rua asfaltada e para alguns prédios de apartamentos vizinhos e, à esquerda, para a faixa de árvores do Aterro e o mar mais além. Ela haveria de morar por cinco anos naquele quarto de cidade e dali sair diretamente para a pequena igreja de Jabuticabais onde muita gente se acotovelava para vê-la (a Noiva) e em cujo altar a esperava Ilton Xavier.

O filho dos fazendeiros vizinhos, Ilton Xavier. Na noite anterior, durante o jantar, arrancara de Clarice a promessa de lhe escrever. E também um beijo fugacíssimo, no corredor que separava a sala dos quartos, imprensando-a contra a parede rugosa feito um amante latino. Por pouco Clarice não se engasgou com o beijo, os lábios dele pressionando os seus com a ansiedade da inexperiência. Agora se lembrava daquilo, e de Lina e seu lenço desbotado, e de tantas coisas mais, e da longa estrada que passava a separá-la de Maria Inês, Otacília e Afonso Olímpio. Fisicamente.

Seu estômago doía, sua cabeça doía. Reclamou com a tia-avó Berenice e sua própria voz assustou-a, como se tivesse ficado em silêncio por muitos anos.

A senhora teria por favor um remédio?

Vá se deitar, tire essa roupa quente e ponha uma coisa mais confortável, já trago um remédio e uma comidinha.

Só um copo de leite está bom.

Mas a tia-avó, que tinha ouvido seletivo, decidiu não escutar aquela última frase e arrumou uma prodigiosa bandeja com sopa, pão, manteiga, limonada, pudim. E falou com sua voz cremosa a Clarice enquanto ela comia, enumerando os passeios que poderiam fazer na semana seguinte, havia tantos lugares bonitos no Rio de Janeiro. E rapazes bonitos, também (sorrisos).

Vamos te matricular num bom colégio. E o que mais? Achar uma professora de piano? De francês? Tantas coisas a fazer quando se tem quinze anos.

Clarice olhou-a com uns olhos agradecidos, mas tristes. E comeu o suficiente para não ser indelicada com a tia-avó Berenice, que depois fechou as cortinas e saiu, dizendo descanse.

Descanse em paz, Clarice completou mentalmente, mas pensou isso é coisa que se diz para os mortos. Como se os mortos pudessem ouvir. Talvez pudessem, de algum lugar. Ou talvez quem ou o que fosse responsável pelo destino deles, mortos.

Ela largou seu corpo sobre a cama de colchão macio e lençóis limpos como se fosse uma sacola de compras cheia demais. E ali, naquele exato momento, sem saber, começou a empresa que iria ocupá-la febrilmente durante os longos anos seguintes: esquecer quem era Clarice. Modelar uma Clarice nova do mesmo modo como se modelavam esculturas a partir de um bocado disforme de argila.

Esquecer. Profundamente. Raspar a alma com uma lâmina finíssima, com um bisturi de cirurgião, e *esquecer,* já que não seria possível modificar. Mas não: o mistério da dor estava impregnado na pele como um outro sentido, o sexto, ou o sétimo, um sentido além do tato. Quando Clarice passou as mãos de leve sobre os pelos do braço, o contato consigo mesma doeu um pouco.

Esquecer. Profundamente. Através das cortinas fechadas uma claridade sépia, envelhecida, homogeneizava o quarto, uma claridade justa. Clarice percebeu que estava a salvo mas também percebeu que não estaria a salvo nunca enquanto subsistisse a memória.

Esquecer. Profundamente. Levantou-se da cama com esforço, o movimento custava tanto. Em uma das malas (ainda não as desfizera) havia uma pequenina desobediência, a única: uma quantidade de argila úmida embalada com plástico e envolvida com um pedaço de jornal (precaução extra). Ela desembrulhou com cuidado a argila, alisou o jornal e o estendeu sobre o chão dobrado em duas partes. Devia ser possível compor uma escultura que coubesse num daqueles títulos que ela tinha em mente (às vezes Clarice começava as esculturas pelo título, como um conto ou um poema ou uma canção):

O Esquecimento
O Esquecimento Profundo
O Esquecimento Definitivo

Clarice não queria sujar o chão da doce tia-avó Berenice (de voz amanteigada) com a argila e então restringiu os movimentos de suas mãos à área protegida pelo jornal. Mas nada se delineava. Não como se Clarice estivesse carente de ideias, mas como se o próprio esquecimento não tivesse rosto ou forma.

Esquecer. Profundamente. Clarice tinha medo porque se sentia confundida com um pedaço de si mesma, uma parte apenas, um pedaço da sua história. Seria possível que todo o resto lhe viesse a ser usurpado? Precisava daquele esquecimento. A argila ficou ali, porém, sobre o pedaço de jornal dobrado em duas partes, um pouco remexida, manipulada, ostentando nenhuma forma reconhecível. Enquanto isso a luz do dia deixava sem pressa o quarto.

Agora os olhos de Maria Inês não ardiam mais. Ela aplicava rímel nos cílios e passava uma rápida escova sobre os cabelos curtos que na verdade não estavam precisando ser penteados, a escova até os enfeitou um pouco porque estragou-lhes a naturalidade. Deu descarga no vaso sanitário e ficou olhando aquele líquido azul perfumado descer junto com a água num redemoinho. Depois voltou a verificar se os olhos estavam bem pintados, removeu uma mancha de rímel que havia ficado no canto da pálpebra esquerda. Em geral as mulheres vão ao toalete retocar o batom, Maria Inês sempre ia retocar os olhos. Ela gostava muito de pintar os olhos de maneira a torná-los fundos, imersos num longo túnel de cílios cobertos com rímel e pálpebras decoradas com uma leve camada de sombra marrom e um traço de *kohl*. Maria Inês disfarçara as olheiras com corretivo. E um dedinho de base. O resto do rosto não estava pintado, não havia blush e a boca estava crua, opaca.

    Certificou-se de que tinha apanhado as chaves. Estavam lá, dentro da bolsa, organizadas no chaveiro de couro com uma plaquinha metálica onde se inscreviam duas iniciais quaisquer. Que bobagem. Um chaveiro com iniciais que nem são as minhas, pensou Maria Inês, e imaginou uma plaquinha onde se inscrevesse: *M. I. A.* Que bobagem, também.

Era hora de sair. As malas de João Miguel já estavam no carro, ela se oferecera para levá-lo ao aeroporto. Silenciosa, Eduarda apareceu na sala, calçara um par de tênis, estava claro que iria ao aeroporto também, embora poucas horas antes tivesse declarado com indiferença que não.

Papai ainda não está pronto, ela disse. Claro, não estava pronto porque marcara uma aula de tênis no final da tarde (o punho machucado já inteiramente curado) e depois se demorara com o professor tomando *tequila sunrise* no bar junto à piscina. Agora Maria Inês não se incomodou, parecia-lhe que as coisas estavam mudando de direção inadvertidamente. Felizmente, talvez.

Não se incomodou: meia hora mais tarde, porém, enquanto dirigia, fez soar no carro uma certa gravação de um certo madrigal de Claudio Monteverdi. Da qual participava um certo barítono chamado Bernardo Águas.

> *Si ch'io vorrei morire*
> *ora ch'io baccio, amore,*
> *la bella bocca del mio amato core.*
> [Sim, eu gostaria de morrer
> agora que beijo, amor,
> a bela boca do meu amado coração.]

Seguiram pela Lagoa, que já estava escura e no meio da qual se erguia uma árvore de Natal imensa, toda iluminada. A cidade inteira estava vencida pelo vício das mínimas e múltiplas luzes *made in Taiwan,* árvores, fachadas de lojas e de edifícios, canteiros, janelas, tudo brilhava. Entraram no túnel e desembocaram em São Cristóvão e depois tomaram a Linha Vermelha onde a velocidade máxima permitida era de noventa quilômetros por hora mas onde todos os carros andavam a cem, cento e vinte, às vezes chegavam a cento e quarenta. E em poucos minutos estavam atravessando o antípoda da Lagoa Rodrigo de Freitas, aquele manguezal fétido onde conjuntos habitacionais pobres espiavam por trás de *outdoors* que anunciavam telefones celulares. Passaram diante do Hospital Universitário. E depois, enfim, a Ilha do Governador e o Aeroporto Internacional.

Maria Inês teve um pequeno calafrio que significava muito pouco ao recordar uma ocasião em que fora encontrar-se com Bernardo Águas no aeroporto, ele chegava para uma semana apenas no Brasil, alguma coisa a ver com visto no passaporte. Antes do grande sucesso. Antes da Linha Vermelha, também. Seguiram do aeroporto direto para um motel na Avenida Brasil.

Não era particularmente bom recordar aquilo, mas também não chegava a ser ruim. Agora Maria Inês procurava vaga no estacionamento e dentro do carro já não se ouvia música. Mas ela ainda cantarolava *Si ch'io vorrei morire,* com pronúncia ruim e mesmo que da letra daquela música somente adivinhasse as palavras mais óbvias, aquelas mais próximas do português. Era um madrigal e as outras vozes ficavam faltando. Mas não tinha importância, ela tampouco era grande coisa como cantora.

E aquela vida: tão diversa. Onde estavam as goiabeiras para subir e morder frutos sempre com o receio de engolir algum bicho? No dia seguinte. Onde estavam as galinhas-d'angola e os galos madrugadores? Onde, os sapos-martelo? *Sapo-cururu na beira do rio. Quando o sapo grita, maninha, é que está com frio.* No dia seguinte. Que bom seria se a memória da fazenda e da infância se compusesse assim, de pequenos fetiches bucólicos, de coisinhas cantáveis com um violão e uma voz não muito potente diante de uma fogueirinha, fumando um baseado, mas não.

Brincou com o chaveiro dentro da bolsa e voltou a pensar no chaveiro com a placa de metal: *M. I. A.* A classe executiva começou a embarcar. Àquela altura uma multidão já se acotovelava na classe turística disputando nem sempre gentilmente a posse dos compartimentos de bagagens. Aqui, João Miguel era passageiro de classe executiva, *scotch* e *blinis de saumon*. Lá fora, seria o portador de um passaporte que sempre causava desconfiança nas polícias de fronteira dos países ricos.

Maria Inês sentia-se bem por não estar embarcando. Feliz por não reencontrar o *vecchio* Azzopardi. Não beber *chianti* à mesa de sua bela *villa*. Não ser a (falsa) esposamante (que um dia não fora tão falsa assim) do próspero João Miguel, que um dia não fora tão próspero assim. Despediram-se à boca do portão de embarque com um abraço que poderia significar tanto, perdoe-me, me esqueça, não te perdoo. Errei. Erramos. Fique quieto, por favor, sim? *Nós podemos começar tudo outra vez.* Olha, é melhor você se apressar. Dirija com cuidado. Telefono. Telefone. Não se dê ao trabalho. Vá embora logo de uma vez.

Aquela noite seria a noite mais longa da história. De volta ao Leblon e ao seu apartamento branco, Maria Inês deu boa-noite a Eduarda e foi arrumar suas malas com as indefinições todas que precisava levar consigo naquela viagem.

Mais uma vez, havia resistido à festa de fim de ano, ocasião em que o apartamento branco fazia-se ainda mais branco e as pessoas celebravam um bem-estar compulsório. Maria Inês não gostava de festas. Maria Inês estava cercada por elas. A manicure pintara-lhe as unhas de branco. Anuência. Maria Inês havia deliberadamente aberto mão da faculdade de ser contrária. Naquele ano, porém, era possível que estivesse apenas fazendo uma última delicada concessão, e chegava a questionar-se até que ponto seria indispensável. Talvez no ano seguinte não estivesse ali e ninguém fosse notar.

Onde estaria, próximo trinta e um de dezembro? Quase final da década. Quase final do século. Quase final do milênio. Deveria de alguma forma sentir-se privilegiada?

Tudo estava tão equilibrado. Tão fragilmente equilibrado. E tudo poderia estender-se novo milênio adentro, e durar mais duas, três, quatro décadas. Deveria de alguma forma sentir-se privilegiada? Porque o equilíbrio vinha a constituir um privilégio, sem dúvida alguma. E custava caro. Era mercadoria de delicatéssen.

Agora, porém, ela queria o movimento. O levíssimo e inaudível farfalhar das asas de uma borboleta multicolorida que voava tão pequena sobre uma pedreira proibida, e suavemente roçava seu corpo translúcido na ideia de uma árvore de dinheiro que nunca brotara. Durante aquela noite Maria Inês mais uma vez voltou a acreditar que talvez fosse possível.

Eduarda assistia à televisão em seu quarto. Maria Inês identificou o som frágil da vinheta do canal onde se sucediam aqueles seriados de humor inofensivo, um monte deles. Já passava da meia-noite, mas nenhuma das duas parecia ter sono ou pressa. Estavam trancadas em seus respectivos quartos porque precisavam do paradoxo daquela companhia solitária. Maria Inês derrubou uma sacola de viagem sobre a cama e começou a abrir as gavetas do armário devagar, quase com curiosidade, quase como se não soubesse o que haveria de encontrar ali.

O verão era também a estação dos mosquitos. Pernilongos lentos e burros, fáceis de matar, e os nervosos mosquitos-pólvora, pequeninos e tão pretos, que zumbiam junto aos ouvidos. Tomás e Clarice acenderam uma espiral de fumaça Durma-Bem para espantá-los. Tomás ainda segurava seu copo vazio e o olhar de Clarice fora parar ali, nas mãos dele.

A espiral de fumaça ia se consumindo muito devagar. Pela primeira vez Tomás falou a Clarice, como quem confessa um pequeno furto ou um segredo risível: eu pensei num certo quadro na primeira vez que vi sua irmã.

Clarice olhou-o com uma curiosidade dispersa.

E ele disse um quadro de Whistler, chamado *Moça de branco ou Sinfonia em branco nº 1.*

Palavras sagradas. Dignas de um santuário individual, erigido em louvor de um deus de que era ele o único seguidor, pensou Tomás. Aquele mito morria ao se externar às fronteiras de seus próprios sonhos, que já não faziam sentido algum e estavam como que mumificados e amaldiçoados, dormentes sob a terra.

Aparentemente não interessava nem mesmo a Clarice, cujas palavras tinham algo de corriqueiro: você tem alguma reprodução desse quadro por aqui?

Ele sabia o quadro de cor. O fundo que era uma espécie de cortina pesada, branca. O tapete de pele (parecia ser um lobo ou um urso, a boca aberta e os dentes brancos e o focinho empinado) sob os pés invisíveis da garota. Um raminho de flores brancas caído ali, sobre o tapete. E a garota com a expressão reflexiva, o rosto emergindo sólido da moldura dos cabelos escuros. Pálida. As mãos quase tão brancas quanto o vestido longo. Os lábios apenas levemente coloridos. Uma flor delicada e branca na mão esquerda.

Respondeu que não, que já não guardava nenhuma reprodução do quadro, e Clarice voltou a brincar de tentar extrair algum som da borda do copo vazio (sem sucesso: não era um requinte de cristal, mas um copo grosseiro de vidro onde antes haviam morado duzentos e quinze gramas de geleia) enquanto assoviava uma melodia improvisada.

Clarice e Tomás haviam se conhecido mais de vinte anos antes, durante o velório de Afonso Olímpio, e ele notara com algum estranhamento, naquela ocasião, que nem ela nem Maria Inês choravam a morte do pai. Pareciam mesmo um tanto alheias, como se estivessem num transe, ou drogadas. Aquilo aconteceu um pouco antes de Clarice finalmente pedir o divórcio a Ilton Xavier e pouquíssimo antes de Maria Inês aceitar a primeira proposta formal de casamento feita pelo primo de segundo grau João Miguel Azzopardi. Que nesse particular antecipou-se, por sua vez, a Tomás, e o jovem artista teve de ir enterrar sua paixão como um cachorro escorraçado enterra um osso no quintal.

Minutos, horas, dias e anos.

Tomás disse perdi a capacidade, e Clarice olhou-o curiosa. Aquela capacidade, ele continuou, que eu tinha quando estava com Maria Inês. De ser flexível, maleável.

E lembrou-se de que andara fazendo ioga havia alguns anos e chegara a conseguir enroscar-se em umas posições admiráveis, agora aquilo era impossível, ele se tornara uma engrenagem enferrujada.

Se é que isso é uma questão de capacidade, sugeriu Clarice. Talvez seja uma questão de vontade, você sabe, tudo isso, apaixonar-se, não se apaixonar. Desistir. Ou sobreviver.

A vontade quase sempre precisa se submeter à capacidade, lembrou Tomás.

O cachorro estava tendo pesadelos e gania baixinho. Clarice cutucou-o levemente com o pé para livrá-lo do pesadelo e disse talvez seja o oposto.

Do lado de fora se fizeram ouvir, afinal, os primeiros pingos grossos da chuva que estava sendo cuidadosamente preparada desde o final da tarde.

As versões oficiais

O Rio de Janeiro era muito úmido. Foi a primeira coisa que Clarice notou assim que pôde assimilar o fato de estar vivendo naquela cidade-mito (sobre a qual tecera mil fantasias anteriormente: todas falsas). Comentou com a tia-avó Berenice, durante o primeiro passeio que fizeram pelas ruas do Flamengo: às vezes o mar fica com um cheiro forte, não é?

A tia-avó Berenice sorriu, suspirou fundo e fechou os olhos de prazer. Sim, não é ótimo?

Clarice não queria discordar dela, portanto pôs a culpa em si mesma. Acho que eu ainda não estou acostumada. Deve ser isso. Este cheiro me deixa um pouco enjoada. Só um pouco.

Úmido e quente. Por baixo do vestido leve e completamente fora de moda que estava usando, ela sentia o suor brotando nas axilas, na curva dos seios. Foram até o Largo do Machado, onde a tia-avó Berenice quis comprar milho para dar aos pombos, e depois tomaram sorvetes, e na volta para casa tiveram que apertar o passo porque, segundo a tia-avó Berenice, um mendigo bêbado as estava seguindo. Na esquina da rua Almirante Tamandaré conseguiram despistá-lo.

De repente Clarice riu, achou tudo aquilo muito divertido, um rasgo de infância veio surpreender seus quinze anos (que não eram um número qualquer, a despeito das crenças dela). Olhou para os prédios altos, achou-os bonitos, e as pessoas e os automóveis que transitavam pelas ruas encantaram-na, ela gostou mesmo daquele suave ruído constante que regia tudo — o avesso do silêncio da fazenda que podia, no entanto, tornar-se também silêncio à medida que os ouvidos se acostumavam com ele, assim uma afirmativa tornava-se uma negativa, era tão bom acreditar nisso. Clarice riu e a tia-avó Berenice, olhando-a, riu também.

Agora Clarice tinha para si uma espécie de modesto ateliê. A tia-avó Berenice reservou um pequeno espaço de sua imensa área de serviço (chão forrado com pastilhinhas hexagonais brancas) para que ela fizesse ali suas esculturas, e esvaziou uma estante inteira no quarto de empregada (isto que eu guardo aqui são anos de inutilidades, minha filha) para que Clarice tivesse onde as deixar secar e guardar.

Ainda faltava esculpir O Esquecimento. Mas O Esquecimento não brotava das mãos de Clarice, era como uma nota aguda demais que um contralto não alcança. Enquanto esperava, ela descobriu os gatos da tia-avó Berenice e começou a fazer uma série de esculturas inspiradas neles. Gatos sonolentos, sinuosos, que viraram esculturas quietas e delicadas.

Às vezes ajudava a tia-avó Berenice na cozinha, como naquela tarde em que descobriu a receita dos biscoitos casadinhos. *3 xícaras de farinha de trigo. 2 xícaras de açúcar. 6 gemas. 3 claras. 1 colher (chá) de fermento.* Lembrou-se muito de Lina no início e um pouco menos depois. *Bata as claras em neve, junte as gemas e o açúcar, bata bem e por fim junte a farinha peneirada com o fermento.*

Às vezes o apartamento no Flamengo era varrido por um vento que não se assemelhava a nada que Clarice tivesse conhecido na fazenda: o vento marinho. Era comum que os vidros das janelas ficassem baços com a maresia. E as coisas enferrujavam mais rápido.

Vá deitando aos bocados no tabuleiro untado e leve ao forno. Depois de assados, una dois a dois com o recheio de sua preferência (doce de leite, geleia, etc.). Faça um glacê com 250 g. de açúcar e água até formar um creme ralo e passe os casadinhos dentro, deixando-os secar em seguida.

Em março vieram as chuvas grossas que enegreciam as ruas asfaltadas e deixavam os pedestres mais apressados. Clarice gostava de ver os desfiles de guarda-chuvas pelas calçadas da rua do Catete, e da rua das Laranjeiras, mas achava singularmente tristes as poças que eles largavam no chão das lojas, no hall dos edifícios e no assoalho das igrejas.

Aos domingos iam à missa, às vezes na igreja da Glória, que era mais perto, às vezes no Outeiro, que se erguia delicado sobre o rosto do mar.

Clarice continuava tendo os mesmos sonhos, à noite. Naturalmente. Continuaria a tê-los durante longos anos que passaram muito devagar (no futuro ela reformularia essa ideia: *durante longos anos pelos quais eu passei muito devagar — pois o tempo é imóvel, mas*). Cresceu, comemorou aniversários, fez amigos, alguns, não muitos. E teve um namorado em 1966, com o qual compartilhava bailes e abraços e beijos bastante bem-delimitados. Chamava-se Almir e ninguém na família, exceto a tia-avó Berenice, ficou sabendo de sua existência.

No primeiro ano esteve na fazenda duas vezes e descobriu sem surpresa que lá já não se falava em Lina. A casa esteve cheia nas ocasiões de suas visitas, sempre cheia, e sempre insistentemente frequentada por Ilton Xavier, o filho dos fazendeiros vizinhos.

Quando se reencontraram, em julho, ele perguntou: e então, você se lembra?

Ela se lembrava. Do beijo com a parede rugosa machucando ondulações nas suas costas. Agora a lua era um fiozinho, um sorriso, uma exclamação brilhante suspensa no céu enquanto Clarice e Ilton Xavier sentavam-se na varanda, tão próximos do vozerio dos adultos, na sala, e tomavam chocolate quente.

Ele segurou as mãos dela e ouviu a censura num sussurro, aqui não!

Onde, então?, mas nesse momento o tio de Jabuticabais (que uma vez contara uma piada considerada imprópria por Otacília) aparecia na varanda munido de sua luneta e perseguido por um séquito de crianças, entre as quais Maria Inês. A noite está ótima para se observar estrelas, ele dizia. (Montaram a luneta numa pequena elevação do terreno, um pouco adiante, e Maria Inês ficou maravilhada ao descobrir que uma única estrela visível a olho nu poderia multiplicar-se em dezenas de outras. E ao descobrir que Saturno tinha anéis de verdade.)

O tempo de Clarice e Ilton Xavier foi estranho, distendido. Incompleto. Mas havia as cartas, e as cartas funcionaram para fazer crer que as principais lacunas se fechavam, que os principais elos se constituíam, que delicadamente se lapidava e se encapava com concretude uma tosca impressão de convívio. As cartas produziram e alimentaram fantasias. E também maquiaram a feiura de algumas verdades. Nas cartas havia caligrafia, havia poemas que se copiavam (às vezes sem o devido crédito) e outros, imaturos e sinceros, que se compunham de um fôlego só, havia gotas de perfume e pétalas secas de flor. Às vezes um retrato, às vezes um recorte de revista.

Namorar por correspondência é bom, disse certa vez a tia-avó Berenice, com um pouquinho de melancolia respingando da voz. Depois ficou brincalhona e se corrigiu: aliás, namorar é *sempre* bom! E completou, vocês jovens que o digam.

Nessa ocasião as duas estavam na cozinha e preparavam um bolo de ameixas para as amigas da tia-avó Berenice, que viriam jogar bridge no final da tarde. *Leve as ameixas ao fogo com bastante água,* começou a ler Clarice, *deixe cozinhar e retire da água, que deve encher um copo.* Dois gatos estavam à espreita, sentados diante da porta da cozinha, com a esperança de que ao invés de bolos doces alguém resolvesse preparar sardinhas, talvez, ou salmão, se eles tivessem sorte.

Namorar por correspondência. Quando Clarice se deu conta, ela e Ilton Xavier eram namorados, oficialmente. Por correspondência. E um pouco depois já estavam falando em noivado. Aliás, quase todos estavam falando no noivado deles, que parecia já tão óbvio, o curso natural das coisas.

Enquanto isso, entre os verões em companhia do primo João Miguel, durante longos anos em que a ausência de sua irmã a um tempo doía e tranquilizava, Maria Inês estava crescendo.

Junto com ela cresciam árvores e arbustos ao redor da casa e o mato selvagem em lugares aonde ninguém ia. Somente o pasto roído pelo gado ficava sempre rasteiro como um cabelo bem-aparado. A mangueira onde ela e João Miguel brincavam no balanço fabricado com um pneu e um pedaço de corda chegou à idade madura. Dos galhos mais altos começaram a pender barbas-de-velho. Uma bromélia foi ocupar o tronco de uma mangueira e produziu uma única flor exuberante, vermelha, talvez um tanto quanto excêntrica. As buganvílias que ficavam perto da porta da cozinha viraram um emaranhado de galhos retorcidos e flores de cores doloridas. As espadas-de-são-jorge e as costelas-de-adão multiplicaram-se na encosta do barranco que ladeava a casa e, no pomar, as jabuticabeiras faziam sombra e os mamoeiros magros explodiam de frutos. Um pé de carambola havia crescido sem que ninguém desse por ele e agora em seus galhos se penduravam frutos amarelos, encerados.

Apenas a árvore de dinheiro plantada por Maria Inês e João Miguel nunca se decidira a brotar — mas os primos naturalmente já não pensavam nisso. Tinham agora outras urgências fluindo pelo corpo, pela corrente sanguínea.

Não, João Miguel não *sabia*. João Miguel nunca saberia. Mas ele notava que Maria Inês não era exatamente bem-vinda dentro de sua própria casa, uma situação que os anos pareciam polir e afiar, explicitar sem nenhum pudor.

Ela também queria ir embora. Para o Rio de Janeiro, sim, cidade grande mítica, e nem sabia que lá esperava por ela um certo admirador de

Whistler, cheio de imagens vagas ondulando em sua vida jovem.

Não era tão simples, porém, deduzir que coisas arbitravam Otacília e Afonso Olímpio. Que verdades e que inverdades desenhavam no futuro dela. De fato, Maria Inês exasperava a ambos, sua falsa subordinação exasperava, seus olhos dissimulados e tantas vezes hostis exasperavam, e sua solicitude de mentira. Uma atitude de cartas na manga. Maria Inês estava sempre mexendo onde não podia, dizendo o que não havia sido educada para dizer (como naquela ocasião em que o padre de Jabuticabais foi à fazenda dar sua bênção anual e ela perguntou, depois de beijar-lhe a mão magra e fria: o senhor nunca conheceu uma mulher, uma mulher mesmo, de verdade?), aparecendo em horas indevidas e ouvindo demais, lendo às escondidas. Gostava de galopar (por três vezes caiu do cavalo, numa delas quebrou o braço) e de tomar banho de rio sob a chuva fria, no final da tarde, quando o céu ficava indefinido. Gostava de apanhar sapos e besouros nas mãos.

Mas, sobretudo, havia a memória de certas sementes de cipreste. Encontradas pelo chão do corredor, miseravelmente espalhadas. E diante disso os passos ficavam cautelosos, titubeavam no escuro.

Maria Inês ainda gostava de subir a pedreira proibida. Sozinha, na maior parte das vezes. Durante o verão, junto com João Miguel.

Olha lá a Fazenda dos Ipês, ela mostrava.

Lá vem você outra vez com essa história.

Então ela se calava, mas em seus ouvidos pareciam ecoar os gritos da mulher morta, em sua imaginação espelhavam-se os olhos brilhantes do marido (duas bolas de gude) e sua boca que espumava. Agora compunha-se também a imagem apavorada do amante, sua nudez impotente, o sexo murcho, miserável no meio das pernas, suas calças e sapatos largados no chão do quarto e suas mãos ainda quentes do cheiro dela. O suor frio na testa. O grito abortado na garganta.

João Miguel e Maria Inês começavam a ter algo mais em comum além dos nomes duplos. Alguma delicada cumplicidade de quem talvez adivinha o futuro, ainda que o futuro adivinhado destoe um tanto do futuro real.

Tudo devia seguir algum rumo, porém. Maria Inês crescia sem pedir licença, já era a promessa nítida de uma mulher. Aos quinze. Dois anos antes de Tomás. Naquele inverno ela pôs em prática um plano formidável, mesmo que tudo não tivesse nem mesmo arranhado as beiradas da sua vontade consciente.

Receberam a notícia da morte da mãe de João Miguel, finalmente resignada, durante uma noite fria e pouco casual, dessas que ficam infladas de expectativa e guardam segredos sobre a língua — moedas, como os mortos. Noites que são como rituais de passagem. Alguém apareceu a cavalo para dar a notícia. E depois esse alguém se foi e tudo continuou igual e o único comentário que Maria Inês ouviu sua mãe fazer foi coitadinha, agora vai descansar. E Afonso Olímpio disse Clarice vai ao enterro em nome da família.

Maria Inês foi para o quintal. Estava sozinha — era comum que João Miguel fosse passar também suas férias de julho ali, mas naquele ano alguma coisa o detivera. Como uma suave premonição de alguém que não acreditava em premonições. Dentro de casa o relógio de pêndulo aborrecia o silêncio e formava uma polirritmia discreta com o vaivém enferrujado da cadeira de balanço onde Afonso Olímpio lia um livro com encadernação de couro e letras douradas na lombada que diziam *O romance de Amadis. Reconstituído por Afonso Lopes Vieira.* Na mesma sala, não muito perto de seu marido nem muito longe dele, Otacília bordava uma camisinha de pagão para o bebê da prima, que nasceria em breve. Lá fora o mundo dizia coisas diversas, sussurrava. E tinha muitas, muitas vozes.

Nessa noite Maria Inês fez uma fogueira com alguns tocos de lenha, longe da vista dos outros. Maria Inês gostava de fogo. Depois apanhou umas folhas velhas de jornal e começou a fabricar várias galinhas-pretas que subiam inchadas e incandescentes contra a noite e iam cair adiante, animadas pelo vento. Uma dessas galinhas-pretas de papel foi soprada mais para longe e caiu junto ao bambuzal, exatamente onde começava o pasto que ladeava a casa. O fogo nasceu bem devagar, mas tudo era tão propício, o vento, a seca, e num piscar de olhos havia alegres chamas alaranjadas ganhando o bambu, que estalava, e hipnotizando Maria Inês. Ela continuou sentada onde estava, olhando. Olhando, apenas. E ouvindo os segredos que, num outro nível, umedeciam a noite.

Quando Afonso Olímpio e Otacília foram despertados daquele amplo nada deles, que os acolhia e fingia reconfortar, um bambu particularmente alto já havia caído sobre o pasto, em chamas.

Só conseguiram controlar o fogo quando já era alta madrugada — dez homens trabalharam sem parar — e o que sobrou do pasto foi uma longa língua negra que demoraria tempo demais para se refazer. Foi provavelmente naquela madrugada que Otacília virou-se para o marido e disse, sempre desviando os olhos: você sabe que isso tudo é proposital. Essas coisas que ela faz. Mas Afonso Olímpio não respondeu. Otacília disse está na hora de mandá-la embora também. Mas Afonso Olímpio não respondeu.

As coisas então fizeram uma breve pausa. Seguraram a respiração e mergulharam no sono. Os meses que se seguiram àquele inverno foram mais longos e muito mais tristes. João Miguel passou a acompanhar o pai em suas viagens porque aquilo fazia parte do treinamento que lhe estava reservado e que ele aceitava sem grandes contestações. É claro que havia um advogado em seu futuro, um advogado dono de um apartamento branco no Alto Leblon, que gostava de ir a Veneza e de jogar tênis por motivos outros além dos mais óbvios.

Seis meses. Um ano. E em torno de Maria Inês havia uma solidão viscosa que lhe tirava o fôlego, mas ela estava aprendendo a esperar.

Quando Maria Inês e o primo de segundo grau voltaram a se encontrar, ele estava cultivando um ridículo bigode que felizmente viveu pouco. E parecia muito mais velho.

Foi na igreja de Jabuticabais, enquanto um Ilton Xavier tremendo mais do que vara verde esperava por Clarice, sua noiva, no altar, um belo terno escuro e um cravo branco espetado na lapela, uma pérola no nó (muito bem-confeccionado) da gravata cinza.

Maria Inês perguntou a João Miguel como estavam as coisas.

Indo. Estou estudando.

Ela sabia que estudos eram esses, sabia que eram preparatórios para o curso de direito. Ele estava de terno e a roupa lhe caía mais naturalmente do que Maria Inês teria imaginado. E ela: usava um vestido horroroso, verde-abacate, que morria abruptamente e sem nenhuma sutileza nos joelhos, que tinha mangas bufantes e deixava seus ombros embrutecidos.

Fazia algum frio naquele final de tarde, muito embora já estivessem em outubro. Um frio poroso, pouco intenso, um frio primaveril. A pequena igreja de Jabuticabais tinha paredes internas azuis com ornamentos em volutas que um dia haviam sido douradas. Num canto havia uma visível infiltração, que deixava um pedacinho do teto preto de mofo. Os vitrais das janelas eram bastante discretos, mosaicos não muito elaborados que mostravam uma pomba, aqui, um sol radiante, ali, e depois uma cruz, na parede oposta repetiam-se os desenhos em cores diferentes.

Todos os longos bancos de madeira envelhecida e quase negra estavam decorados com margaridinhas brancas e um ou outro lírio. No altar havia um arranjo grande de flores brancas e amarelas. As senhoras presentes estavam quase todas exageradamente arrumadas.

Clarice estava exageradamente arrumada. O vestido de noiva deixava-a com um ar irônico de terça-feira de carnaval, parecia uma brincadeira, uma piada. Mas ela estava muito séria dentro daquele sorriso, por trás do batom, do blush e da sombra azulada, por trás da grinalda de flores de pano, por trás da magnífica gargantilha de rubis que pertencia à família de Ilton Xavier e do vestido rendado, dentro dos sapatos de salto que faziam seus pés doer.

Participou da cerimônia como se fosse o casamento de outra pessoa. Recebeu com calma a aliança das mãos ansiosas de Ilton Xavier e tentou rememorar, passo a passo, como havia ido parar ali. Não conseguiu. Seus pais e sogros e padrinhos estavam dentro do campo de sua visão periférica, alegres manchas vermelhas, azuis, amarelas e pretas. Ficou brincando de prestar atenção neles enquanto seus olhos grudavam-se no padre sem vê-lo. Não ouviu nenhuma palavra do sermão. Mas ouviu a organista e o violinista tocando J. S. Bach. A *Ária da 4ª corda* — um pouco desafinados, era verdade, mas que importância tinha? Depois uma certa tia de Ilton Xavier, com seus cabelos ruivos presos num coque e uns brincos pesados que distendiam os lóbulos de suas orelhas, cantou a *Ave--Maria* de Gounod.

Isso deixou Clarice feliz. E ela continuou feliz quando o padre deu a Ilton Xavier permissão para beijar a noiva (embora ele já pudesse prescindir de permissão), imaginou que agora, sim, as coisas talvez pudessem vir a ser diferentes. Fechou os olhos para o beijo como vira as moças fazerem em casamentos nos filmes americanos. Mas, no instante em que sentiu o contato já relativamente familiar dos lábios de Ilton Xavier nos seus, entreabriu os olhos — medo? Primeiro viu os vitrais da pequena igreja, depois notou o quanto estava abarrotada de gente, depois olhou para Otacília e Afonso Olímpio e achou-os inusitadamente grandes. Voltou a fechar os olhos, dessa vez com força. Medo?

Quando se está com medo, qual a atitude mais sábia? Mais conveniente? Mais eficaz? Fechar os olhos ou abri-los? Abandonar, perder o controle, voltar as costas? Correr? Ou agarrar, reivindicar, examinar, controlar?

Agora Clarice estava casada. Achava que isso faria diferença. Então desceu do altar e seguiu sobre o tapete vermelho gasto: nem grande, nem pequena. A quantidade de gente que se amontoava dos dois lados, para onde quer que olhasse, fez com que ela se sentisse mais ou menos como a proa de um barco que vai cortando o oceano. Clarice estava cortando a igreja ao meio como uma faca sobre um cubo de manteiga.

Clarice estava cortando sua vida ao meio, deliberadamente. Queria reconhecer-se a si mesma na divisão: Antes e Depois. E o Cristo pagão estava ali ao seu lado, ele, Ilton Xavier. O Salvador. Que a amava porque ela não tinha segredos.

À noite, depois de terminada a festa, Otacília e Maria Inês encontraram-se na cozinha de casa. Passava da meia-noite e o silêncio escrevia interrogações invisíveis no ar. Não foi surpreendente quando a mãe disse à filha então agora chegou a hora de falar sobre você.

Falar sobre Maria Inês. Não seria possível falar sobre Maria Inês.

Ela disse quero ir para o Rio de Janeiro, será que a tia-avó Berenice me receberia.

Sem dúvida que sim. Pois se recebeu Clarice.

(Naturalmente, a tia-avó Berenice havia ido prestigiar o casamento. Com suas roupas e hábitos de cidade grande. Com seus cacoetes de solteirona. Com sua alergia a picadas de insetos. Levara na mala — decorada com flores em tons pastéis — um presente sofisticado que ela planejava que fosse inesquecível: imaginava Clarice e seu marido, décadas depois, mostrando a prata Christofle para os netos e dizendo isto foi presente da saudosa tia-avó Berenice, vejam como é maravilhoso. E era. Maravilhoso.)

Otacília falava sem olhar para Maria Inês enquanto se servia de um copo d'água no filtro de barro (não precisariam de filtro, porque a água das torneiras vinha de nascente. Aquele era apenas um excesso de zelo que se aplicava na situação errada, com o objetivo errado, com resultados inteiramente dispensáveis, inteiramente acessórios).

Maria Inês apanhou a ocasião pelo pescoço e sugeriu que tal se eu fosse em novembro.

Otacília fez que não com a cabeça e disse dezembro é melhor.

Não explicou por quê. Maria Inês não quis perguntar. Não gostava de dar o braço a torcer. De pedir, de perguntar. De se submeter. Otacília ficou esperando que Maria Inês quisesse saber por que dezembro, mas a pergunta não veio, então também se calou a resposta. Por um instante os olhares de mãe e filha se encontraram, entre a geladeira e a pia da cozinha, e formaram um arco elástico de tensão que ambas suportaram como um desafio. Uma queda de braço.

Dezembro, então, Maria Inês confirmou, e sua voz tinha a cor de um contrato formal. Tinha cheiro de cartório, de carimbos e firmas reconhecidas. Depois ela quase quis perguntar sobre o estado de saúde de Otacília, mas a pergunta ficou estacionada numa vontade sem gesto e ela apenas observou sua mãe que se afastava, pequena, fraca, doente, amortecida, inútil. A Otacília de verdade. Que agora teria que enfrentar a solidão da companhia de Afonso Olímpio. O marido que ela escolhera aos vinte e oito anos de idade, no dia mais feliz e mais irreal de sua vida.

Minutos depois chegou João Miguel, sem o paletó, sem a gravata, os dois primeiros botões da camisa abertos.

Então?

Era uma pergunta que não estava perguntando nada. Maria Inês roía as unhas e observava uma pequena lagartixa que desenhava uma trilha irregular no teto.

Sua mãe não parece bem. Devia ir consultar um médico no Rio, João Miguel disse, genuinamente interessado.

É, Maria Inês concordou com displicência. Como se estivesse genuinamente desinteressada.

Depois ela apanhou um banco de três pernas e foi até a despensa e voltou trazendo uma garrafa de licor vazia pela metade. Comentou, vitoriosa, eles acham que eu não sei onde é que guardam isto.

Encheu uma xícara. Licor caseiro de laranja. Quer um pouco? João Miguel disse que não, já havia bebido o suficiente durante a festa. Ninguém regulara suas quantidades, ele era quase um homem adulto. Naquele lugar, naquela família, as coisas visíveis eram regidas por leis muito estritas, muito rígidas, muito definitivas (ao passo que as coisas invisíveis eram dirigidas por elas mesmas, e se impunham, se refaziam, e se perpetuavam). Um indivíduo-do-sexo-masculino aos dezessete anos era uma realidade que podia incluir, por exemplo, bebidas durante as festas.

Depois de esvaziar sua xícara de licor Maria Inês disse eu vou em dezembro.

Para o Rio?

É, para o Rio. (*Claro! Para onde mais?*)

João Miguel ficou feliz como uma criança. Isso é logo! Mas que ótimo!

E começou a falar sobre os lugares que poderiam conhecer, os filmes a que poderiam assistir, as praias que poderiam frequentar, os clubes aonde poderiam ir dançar e as sorveterias onde poderiam experimentar sorvete de pistache ou de avelã (iguarias de Capital).

É claro que ele não planejou Tomás. Tampouco planejou várias outras coisas que aconteceriam na vida de Maria Inês, e em sua própria vida, e na vida em comum que os dois haveriam de inaugurar dali a alguns anos, marido e mulher. Realidades furtivas, às vezes coloridas como bandeirinhas de São João, às vezes frágeis como um pássaro na chuva, que afagavam um pouco e depois pisoteavam, que machucavam, que excitavam como roda-gigante, que corroíam como ferrugem. E que calavam como um anjo sonolento e tristonho.

O casamento de Clarice durou seis vagarosos anos. Porém, naquela noite de outubro, a noite de núpcias, ela estava trêmula com as perspectivas em que ainda acreditava. Perfumou-se e vestiu a camisola rosa-salmão decorada com renda. E ficou estudando as próprias unhas, achando engraçado tê-las pintadas de cor de vinho e longas como as das atrizes de cinema. Quando Ilton Xavier chegou, no entanto, e deitou-se ao lado dela, e começou a vagarosamente tomar posse do território cuja propriedade lhe havia sido dada por lei e pela Santa Madre Igreja Católica Apostólica Romana, Clarice adivinhou que as coisas não seriam assim tão mágicas. Tão fáceis, tão voláteis.

Sabia que já havia uma espécie de sentença sobre ela. Algo como uma doença incurável. Alguma coisa definitiva, irreversível.

Mas foi submissa e obediente como sempre.

Depois que Ilton Xavier (o delicado, o apaixonado Ilton Xavier) terminou sua não muito ambiciosa performance e enroscou-se no sono como uma criança, em posição fetal, abraçado com o travesseiro, ela puxou o lençol e o cobertor e cobriu-o até os ombros. Era uma madrugada fria e Ilton Xavier fechou os olhos e fingiu adormecer, mas estava pensando.

Pensando e repensando. A pergunta que não tinha coragem de formular — havia existido outro homem na vida dela? Ele próprio não tinha muita experiência. Mas aprendera, através de leituras e conversas *masculinas*, como costumava ser a primeira vez de uma mulher. Todas as dificuldades, dor, sangramento, essas coisas. Pensava e repensava. Não havia sido exatamente assim com Clarice. Mas ele acabou por resolver esquecer o assunto. Essa era uma escolha possível para Ilton Xavier, esquecer o assunto. E ser feliz-com-sua--adorada-esposa. E ele esqueceu o assunto e foi extremamente feliz-com-sua-adorada-esposa até o dia em que ela o abandonou sem nenhum aviso prévio, nenhuma carta, nada.

Clarice voltou a vestir sua camisola de núpcias, e por cima dela um pulôver de lã azul-marinho. Calçou aqueles sapatinhos engraçados de lã, feitos à mão, que estavam no fundo da sua mala. E saiu do quarto.

A casa dos pais de Ilton Xavier não se parecia com a casa dos seus pais. Era, em primeiro lugar, muito mais antiga, tinha um século de existência. As paredes haviam sido levantadas por escravos com o dinheiro da lavoura do café. Um barão havia largado seus passos resolutos pelo assoalho de madeira e seu rosto em alguns retratos amarelados de molduras ovaladas. Francisco Miranda, 1875, Clarice leu num dos retratos. Era também muito maior, a casa, tinha dez quartos e não apenas quatro. Tinha uma pequena capela com imagens da Virgem com o Cristo ao colo, de São José e de São Judas Tadeu, e um genuflexório forrado de veludo verde-velho. Tinha múltiplas saletas entre as quais Clarice achava que poderia se perder. Numa delas, que se chamava Sala de Leitura (todas tinham nomes: Sala de Leitura, Sala de Música, Sala de Almoço, Sala de Jogos, Sala de Jantar, Sala de Estar), havia um gavião e um filhote de jacaré empalhados que ela teria adorado jogar fora, ou pelo menos esconder na prateleira mais alta de um armário. Havia troféus e medalhas. E havia tantos rostos em fotografias envelhecidas que ela imaginava que mesmo morando ali não chegaria nunca a ser capaz de associar-lhes os nomes corretos.

Abriu uma fresta da alta janela da Sala de Leitura e o aposento foi cortado por um espírito leitoso de luar. O pequeno relógio de pêndulo mostrava: três e dez. Uma hora noturna que quase sempre se perdia no anonimato do sono. Depois encostou-se no parapeito da janela e viu que o vale estava encharcado com a luz agradável daquela lua imensa, cheia, amarela como manteiga. O rio corria muito próximo. Não era possível vê-lo, mas o murmúrio da correnteza chegava nítido aos ouvidos. Para além do rio havia o amplo pasto. E depois a estrada. E depois o morro que à luz da lua parecia vivo, um bicho à espreita, e atrás do qual ficava a casa dos seus pais (outro bicho à espreita).

Afastar-se, mas náo muito.

Clarice perambulou um pouco pelas outras salas, depois foi até a cozinha espiar os gatos. Havia um monte deles, todos enroscados ao pé do fogáo de lenha que ainda guardava algum calor — como o corpo de um amante noite adentro.

Como o corpo de Ilton Xavier. Inocentemente feliz em seu estado de inércia. Ela voltou para o quarto, inaudível dentro de seus engraçados sapatinhos de lá. Ilton Xavier havia se mexido na cama e descoberto metade do corpo: a perna esquerda, o púbis e o ventre estavam expostos sem pudor e sem culpa. Clarice voltou a arrumar os lençóis e cobriu seu marido de novo até os ombros. Depois notou que mesmo na penumbra os cabelos dele eram surpreendentemente claros, herança de sua ascendência europeia. Da colônia suíça de Nova Friburgo. Ilton Xavier sabia falar alemão, aprendera em casa. Ensinara a Clarice os números até dez e um ou outro substantivo: *die Blume. Die Schwarzkirsche* para jabuticaba, a cereja preta. *Der Wald. Der Stern. Die Liebe.*

Die Liebe.

O amor.

E os segredos.

Clarice deitou-se na cama sobre as cobertas, sem tirar dos pés os sapatinhos engraçados e sem despir o pulôver. Por trás das pálpebras cerradas, ficou esperando pelo raiar do dia e pelo primeiro galo que viria cantar sob sua janela.

Sinfonia em branco

Uma mulher que a memória sempre vestia de branco e de juventude.

Naquela época o apartamento no Flamengo era um caos muito atraente. O cheiro de tinta se sobrepunha mesmo àquele das frituras que Tomás de vez em quando empreendia, nos dias em que tentava, quase sempre sem sucesso, testar seus dotes de cozinheiro. Na maioria das vezes ele comia na rua, um sanduíche, um prato feito em algum botequim. Estava sem dinheiro, é claro. Vinte anos de idade.

A poesia da visão. O céu estava nublado naquela manhã em que Tomás acordou e se deu conta de que tinha vinte anos de idade. Uma manhã misteriosa, prenhe de falsas promessas. Ele tinha perspectivas tão grandiosas quanto desordenadas, e ainda não se dava conta de que precisava adestrar o próprio talento. Civilizá-lo. Torná-lo capaz de redundar em algum feito, em algum fato, em alguma marca reconhecível no mundo, não apenas em sonho e em devaneio. Via os quadros, os esboços, os estudos, os desenhos, os materiais metido numa camisa social muito usada que era seu uniforme de trabalho e que estava puída junto à gola e miseravelmente manchada em toda parte. Pensava em James Abbott McNeill Whistler, que em 1862 pintara aquele quadro. E na moça pálida (de feições pálidas, sobre um fundo pálido, trajando um vestido pálido) que agora vinha reencarnar numa jovem que se debruçava à sacada do apartamento vizinho. Impossível dissociar arte e paixão. Tomás tinha cadernos furiosos de desenho. Aquele momento de sua vida chamava-se: *antes de tudo.*

E ela, a garota de branco, ouvia uma música de balé. Tchaikovsky. Os fortíssimos chegavam até a janela de Tomás, que tinha vinte anos e olhos e ouvidos aguçados como agulhas. Os cabelos grossos e desalinhados da garota de branco eram pesados e quase não se moviam, mas ela oscilava o corpo com suavidade para um lado, para o outro. Aquele momento da vida dela já não se chamava *antes de tudo,* mas sem dúvida precedia alguns acontecimentos bastante radicais, coisas que haviam sido plantadas no passado à revelia dela e que nunca dariam moedas como frutos.

Tomás via a moça, ela não o via ainda. Portanto, foi com naturalidade que ela deixou a sacada e voltou para a penumbra do quarto, curvou-se diante da penteadeira, examinou de um jeito meio cômico o oval do próprio rosto no oval do espelho.

Depois apanhou as beiradas do vestido branco que havia pertencido à irmã mais velha e virou bailarina, compôs movimentos (um pouco preguiçosos) com os braços e as pernas. Tomás olhava, hipnotizado — não porque aquela garota fosse particularmente bonita, mas porque *era* uma pintura de Whistler.

E agora ela viria. Ela, Maria Inês, naquela manhã tão impetuosamente real. Maria Inês. A marca deixada por um quadro removido após anos de vida sobre uma mesma parede. Ela, Maria Inês. A vida de Tomás que terminou antes de começar.

Quando tinha vinte anos (*antes de tudo*), Tomás ficou obcecado em desenhá-la, a vizinha que gostava de ensaiar passos de balé diante do espelho da penteadeira, secundada pelos cabelos escuros e grossos, compridos, que eram como um espírito. Desenhá-la, capturá-la, retê-la. Amá-la. Mobilizou os melhores papéis, os melhores lápis e tocos de carvão e giz pastel e começou a se aventurar naquela empresa: conhecer Maria Inês. Que estava fadada a nunca chegar ao fim.

Àquela primeira visão que a associava com tanto assombro à garota de Whistler sucederam-se várias outras. Algumas coloridas e terríveis, com trejeitos cubistas, evocando talvez a *Dora Maar,* de Picasso. Outras graciosas, como a *Mlle. Georgette Charpentier,* de Renoir, e outras ainda positivamente *blasées,* como as moças de Fragonard. Nenhuma delas, porém, tão sincera ou tão convincente.

Branco e juventude. Naquela época Maria Inês tinha ainda dezessete anos. Do interior do estado chegavam-lhe cartas de Clarice: agora estamos novamente separadas por uma grande distância, a mesma distância, é curioso que tenhamos apenas trocado de lugar. Você na cidade, em meu lugar, no quarto que eu própria ocupei na casa da tia-avó, e eu de volta a esta paisagem tão familiar, os mesmos morros, os mesmos ciclos, os mesmos rostos. Na verdade acho que é mais justo assim.

E o desespero de Clarice ficava guardado como um par de brincos numa caixinha de joias e em sua mão esquerda havia agora uma aliança de ouro em cujo interior se inscrevia o nome Ilton Xavier.

As cartas que as duas irmãs trocavam não eram muitas. Insuficientes em forma, conteúdo e frequência. Do Rio de Janeiro, a capital (onde havia aeroporto e aviões em voos tão baixos), Maria Inês contava que cumpria satisfatoriamente seus estudos. O científico, as aulas de piano e francês. O que não era totalmente verdadeiro. E contava que achava agradável morar naquele apartamento amplo perto do mar. Gostava do grande espelho sobre a penteadeira de seu quarto, que a transformava em bailarina.

Da fazenda Clarice contava que cumpria satisfatoriamente seu casamento e que achava agradável morar com Ilton Xavier e os pais dele naquele casarão secular de paredes alvíssimas e janelas azuis. O que não era totalmente falso. Tinha a metade de uma cama só para si, e um armário, e também uma penteadeira. Mas não costumava virar bailarina, ainda preferia o contato frio e intenso da argila e da pedra enquanto transformava sonhos e pesadelos em esculturas. As terras dos pais de Ilton Xavier eram vizinhas àquelas de Otacília e Afonso Olímpio.

Afastar-se.

Mas não muito.

E havia aquelas palavras em carne viva que Maria Inês e Clarice nunca trocavam. Seus pais lhes haviam ensinado o silêncio e o segredo. Determinadas realidades não eram dizíveis. Nem mesmo pensáveis. As coisas ali eram regidas por um mecanismo muito particular capaz de apanhar a infelicidade em seu percurso entre vísceras e artérias e fabricar-lhe uma máscara de pedra. Então Maria Inês continuava guardando aquelas palavras sangrentas e cuidando para que doessem o mínimo possível.

Dançava balé, embora soubesse já ter passado da idade de poder pensar em virar profissional. Era bailarina para o espelho. Terminava o científico e tinha aulas de piano por motivo nenhum. Detestava ter que estudar passagens de polegar em métodos aborrecidos. Como aquele Hanon. Detestava escalas e arpejos. Mas era bom perseverar, aquilo era sólido e novo.

Pelo menos três vezes por semana o primo de segundo grau João Miguel fazia visitas a ela e sua tia-avó. Sempre trazia flores ou chocolates. Ele está muito interessado em você, dizia a tia-avó Berenice com sua voz aconchegante, uma voz educada por décadas de conversação com cães, gatos, canários e outros bichos domésticos.

Maria Inês sabia. Ele está muito interessado em mim.

Acho que vai acabar te pedindo em casamento, comentava a tia-avó Berenice.

E Maria Inês apenas sorria, em silêncio.

Não demorou a perceber, porém, que um certo morador de um prédio vizinho gastava um tempo considerável olhando pela janela, muitas vezes com um bloco nas mãos, parecendo desenhar: olhava para ela, Maria Inês? Especulou: podia ser que estivesse copiando *o prédio,* as janelas, a fachada. Diziam ser um bonito exemplar do estilo artdéco (à primeira vez que dera com o termo Maria Inês o havia pronunciado assim, cru, *artidéco,* até que a corrigiram, isso é francês, minha filha, *ardecô!).* Ardecô. Morava com a tia-avó Berenice num prédio ardecô. Construído na década de vinte. Talvez o rapaz do prédio vizinho (que não era ardecô) estudasse arquitetura. As especulações foram-se sucedendo, até o dia em que ele resolveu acenar, e Maria Inês acenou de volta sem saber se era coadjuvante ou protagonista naquela história. Mas ele rapidamente elucidou tudo e disse oi, garota do quinto andar, e ela respondeu, divertida, um pouco infantil, olá, sujeito do... sexto andar?

Ele gesticulava. Fiz uns desenhos. Você quer ver?

Maria Inês pensou um pouco e acabou perguntando — como se isso lhe pudesse fornecer algum atestado de bons antecedentes, ou como se estivesse realmente preocupada: como você se chama?

Tomás, ele respondeu, e ela fez que sim com a cabeça, como se ele tivesse dado uma resposta correta num concurso de algum programa de variedades e agora pudesse receber seu prêmio.

A gente se encontra na portaria, ela autorizou.

Do meu prédio?

Não. Do meu.

Já estava claro, desde aquele momento, que seria ela a ditar as regras.

No hall de entrada do prédio artdéco havia dois espelhos que se observavam e brincavam de reproduzir o infinito, e, sob os espelhos, dois bancos idênticos. Maria Inês escolheu um deles e sentou-se ali e logo viu Tomás se aproximar e divisou seus olhos transparentes bem antes de notar que os cantos de suas unhas estavam sujos de tinta. Era ela, nos desenhos. Na maioria estava vestida de branco.

Como um quadro de Whistler, ele explicou, mas ela ainda não conhecia Whistler.

Você me dá um destes?

O que você escolher.

Foi só então que ela começou a ficar um pouco embaraçada e tímida, quase que por obrigação, porque afinal ele era um desconhecido, e estavam naquela idade em que um campo magnético paira sobre a pele do corpo como um perfume.

E apressou-se em dizer está bem, obrigada, venha qualquer hora dessas conhecer minha tia-avó, foi um prazer, até mais.

E acenou com muitas mãos enquanto se afastava em direção aos elevadores. Tomás ainda pôde vê-la por um instante capturada entre os dois espelhos e multiplicada ao infinito.

Adolescentemente, o desenho de Tomás ganhou espaço na parede do quarto de Maria Inês, junto à cabeceira. A tia-avó Berenice e sua roupa cheia de pelos de gato foram bisbilhotar, sem más intenções, e pronunciaram um suspiro forrado de vésperas. Este miserável descompasso, pensou a tia-avó, entre o corpo e a mente. Sentiu-se velha. Fisicamente velha. Parecia não haver mais palavras a compreender. Já não havia interlocutores, seu mundo estava quieto. Quando começava a ficar assim melodramática, a tia-avó Berenice perigava sentir-se ainda mais velha e completar então um círculo vicioso, mas tinha uma força incomum para dar as costas a determinados pensamentos e ir colher outros matizes no céu. Chegou-se à janela e viu o rapaz no sexto andar do prédio que ficava do outro lado da rua. Parecia bonito, mas naquela idade todos pareciam bonitos. Os cabelos encaracolados escuros. Acenou-lhe com a timidez abolida das tias-avós e as pulseiras pesadas entre-chocaram-se em seu punho roliço. As carnes de seu braço sacudiram-se sob a manga da blusa de seda cor de caramelo.

Tomás se lembrava com perfeição do sorriso em baixo-relevo da tia-avó Berenice e das covinhas em suas bochechas gorduchas.

O tempo é imóvel, mas as criaturas passam.

E daquelas pulseiras cheias de balangandãs. E dos furinhos nos cotovelos que eram como os de um bebê. Lembrava-se da excitação que rodopiava nos olhos dela quando ele finalmente foi recebido no apartamento. E da maneira a um tempo ávida e delicada com que ela fingia *não desconfiar de nada.*

O tempo é imóvel, mas as criaturas passam.

Tomás ingressou no mundo de Maria Inês. Passa-ram a se encontrar à tarde com o objetivo de fugir dos outros. Como se fossem bichos empreenden-do uma migração a dois. Acompanhavam a orla do Flamengo com os passos e com os olhos, sur-preendendo-se o tempo todo com aquela capaci-dade do mar de ser idêntico a si mesmo e simulta-neamente renovar-se. Procuravam e encontravam identidades. Conversavam em código e riam dos transeuntes — que não definiam com esse termo tão dicionário, *transeuntes*. Deflagravam infinitas possibilidades de vida em simples olhares trocados: tudo era possível. Tomás realmente acreditava naquilo.

Tinham pressa, mas gastavam o tempo. Perdulários. Jovens. A realidade assumia contornos especiais e só eles dois tinham a chave. Dessa forma era possível para Tomás antecipar-se a tudo. Para Maria Inês, era possível esquecer e adiar tudo. E se tornavam infinitos e renovados como o mar, e misteriosos, tão misteriosos.

Sem dúvida, havia também a pele, e o cheiro que emanava da pele, e foi assim que em certa tarde de gênese, inflada de gestos incontidos, os lábios de Tomás e os lábios de Maria Inês foram se tocar com avidez, mas sem surpresa. Dessa forma o jovem artista antecipou-se ao primo João Miguel, que no entanto fazia parte de Maria Inês desde bem antes, e de outro modo (e continuaria a vir, à noite, perfumado e aprumado e cheio de rosas e chocolates).

No apartamento havia, além do cheiro das tintas, um piano de armário desafinado e com um ré quatro mudo. Naquela tarde, Tomás girou a chave na fechadura e fez um gesto para que Maria Inês entrasse. Foi até a cozinha preparar um café, enquanto seu coração latia de ansiedade. Sobre o piano havia uma pequena e divertida escultura, um diabinho tocando violão, ou seria talvez um sátiro, e havia também um metrônomo em forma de pirâmide. Maria Inês sentou-se diante do teclado e escorregou os dedos de leve pelas teclas brancas. Depois começou a tocar as peças simples que aprendera com suas poucas aulas de piano. Tomás voltou da cozinha e iria ter de confessar que o pó de café havia acabado, mas ela estava tocando, e então ele sentou-se de pernas cruzadas no assoalho de madeira para ouvir. O que quer que fosse. Qualquer coisa. Qualquer coisa, boa ou ruim, bem ou mal tocada, contanto que fosse ela, o corpo dela, os dedos dela. A música de Maria Inês. Pequenas peças iniciais do *Microcosmos* de Béla Bartók, simples e bonitas.

Seria possível. Teria de ser possível. Aquilo que corria pelo coração de Maria Inês seguiria sendo opaco e misterioso, mas o abraço se formou no arco do desejo de Tomás. As costas dela e os braços curvos, o corpo oscilando enquanto ela tocava e a cabeça para a direita e para a esquerda acompanhando as mãos. Mais tarde ela diria por favor, Tomás, não se apaixone por mim, e ele perguntaria, sorrindo, por quê?, ao que ela responderia porque eu não estou apaixonada por você. Naquele momento, porém, e mesmo depois da revelação da não paixão, Tomás se assegurava: seria possível. Teria de ser possível. Porque o amor dele seria talvez suficiente para dois, como um prato farto num restaurante. Suficiente para alimentar duas pessoas, um desejo em dobro capaz de arcar com o peso de dois destinos, inclusive, e irmaná-los.

Imaginar, a partir dali, a vida sem Maria Inês equivaleria a vivê-la pelo avesso. A desviver. Foi naquele exato momento em que ela se sentava ao piano sob o signo de um diabinho (ou seria um sátiro) que tocava violão, naquele momento o amor chegou, e a partir de então tanto faria a Tomás o que ela pudesse dizer ou como pudesse agir. Porque às vezes o amor se alimenta de sua improbabilidade. Porque às vezes a vertigem do outro é grande demais, é ampla demais, e a única maneira de abarcá-la e tentar organizá-la é através da desmedida do amor — à maneira de um bêbado que toma um golinho logo pela manhã a fim de curar a ressaca da véspera.

Amar e acreditar que seja possível. Tudo contido no arco incontido de um abraço que Tomás desejou, ganhando as costas dela e seus cabelos despenteados que oscilavam enquanto a cabeça oscilava enquanto o corpo oscilava com o movimento dos braços com o movimento das mãos sobre o preto e branco do teclado, Béla Bartók. A pirâmide silenciosa do metrônomo. Teria de ser possível.

Tomás fechou as cortinas por delicada precaução. Tudo era muito fácil e transparente, a suavidade da tarde de quase inverno, a úmida presença do mar, o tato, as palavras, era larga a impressão de que afinal de contas sempre havia sido daquela forma, entre eles. Tomás era magro, bastante magro, mas Maria Inês achou confortável correr seus dedos pelas espáduas dele assim como fizera sobre o torso inacabado de um desenho, e não sentia surpresa ou qualquer emoção que excedesse a simplicidade. Rolavam trovões pelo céu — haveria chuva. Agora, porém, era como se Tomás compusesse desenhos de Maria Inês sem lápis, sem papéis, mesmo sem a obrigatoriedade dos silêncios. Compunha desenhos como tatuagens, diretamente sobre a pele dela, sensibilizada. Tudo era muito fácil e continuou sendo fácil, a palidez de Maria Inês e a magreza de Tomás expostas sem rituais e sem dor, divididas, e Tomás era agora enfim o corpo adulto de Maria Inês.

Depois ele disse eu já estava pensando nisso há algum tempo. E então tudo ficou justo e ele sorriu e acreditou ver nela o espelho de seu próprio sorriso: marinho, infinito. Renovado.

Foi assim que Tomás ingressou no mundo de Maria Inês — um mundo de alegrias tristes, frágil como confeito de bolo. Agora ela adquirira um corpo de mulher, cem por cento (conquistara-o, construíra-o), mas era ainda uma menina. Claro. E tinha medo de fantasmas porque os conhecia de longa data. Já Tomás não temia nada e se devotava à sua primeira paixão com a visão enérgica e distorcida dos vinte anos. Era o imperador de si mesmo e seus domínios não conheciam limites. Por amor, passava noites inteiras tentando recompor com seus lápis aquela garota de branco que agora tinha três dimensões e voz e cheiro e sabor. Por amor, obedecia a alguns ímpetos, como subir montanhas para do topo contemplar a finitude do mundo que não abarcava, não poderia abarcar, a infinitude de um simples contato: as pontas de seus dedos, a pele crispada de Maria Inês. Por amor, estava agora dado a poesias que se adivinhavam em tudo, nos ônibus sujos, no lixo transbordando de um cesto, no grupo que jogava futebol em frente à praia, e, claro, nas predileções dos apaixonados — o pôr do sol, um broto de flor, a onda do mar, o horizonte que era a ilusão do equilíbrio e a embriaguez que era o oposto, a renúncia, a entrega. Por amor, queria Maria Inês quase com desespero, estivesse longe dela ou dentro do arco dos seus braços, porque nem sua presença corpórea e integral apaziguava a gigantesca *ideia* dela. Por amor, precisava estar sempre febrilmente perseguindo palavras e sempre se frustrando com o limitado poder delas. Escrevia eu te amo num verso e aquilo lhe soava prosaico e incompleto. Porque Tomás sabia, sem dúvida, que nenhum ser humano amava como ele amava, todos os outros apaixonados apenas se supunham apaixonados. Sobre aquela negação de Maria Inês, na primeira tarde deles: por favor, Tomás, não se apaixone por mim: ele tinha certeza de que eram palavras ocas, sem substância. Pensava em vários possíveis motivos para que Maria Inês as tivesse dito — insegurança, segurança exagerada, inexperiência, medo. Ou apenas o fato de que o convívio deles ainda não amadurecera. Não era preciso repensar aquilo. Afinal, *teria* de ser possível.

Tomás lembrava-se do corpo de Maria Inês todo o tempo, a brancura do seio, a pequena cicatriz no alto da coxa direita que era memória de alguma estripulia de infância (ainda não poderia, claro, adivinhar a futura cicatriz da cesariana e aquela da cirurgia de apendicite), os pequenos cachos da nuca que era tão beijável, e as outras sinuosidades que se repetiam e renovavam. O olhar dele agora podia escalar as pernas, as coxas, e não ia esbarrar nos limites da barra de uma minissaia ou da cava de um maiô, e podia continuar, prosseguir, livre, autorizado. Tomás ingressou no mundo de Maria Inês e no corpo de Maria Inês (mar, maresia, sereia) e os minutos viraram horas, viraram dias, viraram anos.

Porém, de fato ele não viria a ter Maria Inês.

Antes das sete horas ela estava de pé, o que não era de todo estranho, já que seu sono minguava na proporção inversa àquela com que os anos vinham se sobrepor. Surpreendente mesmo foi que também sua filha já estivesse acordada, e mais do que isso, banho tomado, vestido leve de algodão sobre o corpo leve, sandália de couro em lugar dos pés eternamente descalços. Um anelzinho de prata no dedo do pé, para olhares minuciosos. Um cheiro de colônia infantil.

O apartamento branco estava entrando em hibernação. Não havia empregadas vasculhando suas artérias atrás de um copo sujo ou de uma teia de aranha, estendendo colchas, dispondo jogos americanos sobre a mesa de jantar, catando vestígios de pipoca diante da televisão. Os aparelhos estavam todos mudos, à exceção da cafeteira elétrica que fumegava discreta na cozinha. Não havia João Miguel, que provavelmente dormia em sua poltrona, a dez mil metros do chão.

Eduarda tinha uma mochila de viagem peruana com pequeninas figuras bordadas, homenzinhos e mulheres de chapéu, animais que deviam ser lhamas. *Recuerdo* de uma viagem sua a Machu Picchu. Maria Inês tinha uma bolsa de viagem em que se multiplicavam as mesmas iniciais do chaveiro (que não eram *M. I. A.*). No total, a bagagem delas era de um minimalismo saudável — estava claro que não havia necessidade de excessos, de *gelée exfoliante.* Melhor era subtrair, retirar, como um escultor diante de um bloco de pedra. Melhor era ser menos, apequenar-se, ser o mínimo possível e reivindicar o silêncio, a nudez e a liberdade. Melhor era ter as mãos vazias. De outro modo, toda aquela empresa perderia o sentido.

Sem nenhum motivo especial, seguiram pela praia. Era o caminho mais longo, e o mais bonito também.

No calçadão da orla proliferavam aqueles romeiros que se dirigiam a lugar nenhum, que iam e vinham sempre muito apressados e suados e multicoloridos em suas roupas de ginástica e tênis importados. Bicicletas zuniam na ciclovia, e alguns pares de patins também. Babás de uniformes brancos passeavam com os rebentos rosados de suas patroas (que estariam no escritório usando terninhos modernos e óculos com armações modernas e adereços discretos). Iam, vinham, iam, voltavam. Os turistas eram reconhecíveis a distância, por serem sempre mais altos e muito mais vermelhos, às vezes com curiosas sobrancelhas louríssimas. As prostitutas se identificavam por seus vestidos curtos e justos, seus saltos altos e suas expressões de véspera, ainda bebendo cerveja com o último cliente à sombra de um quiosque. Para elas, a noite ainda não chegara ao fim, o que vinha a constituir uma anacronia poeticamente rude, delicadamente mordaz.

Quando o carro parou num sinal vermelho uma garotinha veio pedir dinheiro, bateu com a mão aberta no vidro fechado e Maria Inês fez que não (não tinha dinheiro? Não queria dar? Não se sentia pessoalmente responsável por aquelas mazelas sociais e tentava mudar as coisas votando nos políticos certos etc. etc.?). A garota continuou ali, os olhos vazios, e Maria Inês viu o grupo encostado no canto da calçada: uma mulher, duas crianças e um bebê deitado que brincava com uma sacola de papel. Estavam todos uniformemente pardos de sujeira e miséria. A mãe parecia jovem. Então Maria Inês prestou atenção no bebê — cinco, seis meses. Talvez menos. Estava deitado sobre um pedaço de jornal e virava para um lado, para o outro. O bebê não tinha as duas pernas e usava fraldas que se ajustavam mal porque as fraldas não foram feitas para bebês sem pernas. No lugar da perna direita agitava-se suavemente um coto, do outro lado nem isso havia.

Aquele ali é o seu irmão?

É, sim.

Ele não tem as pernas?

Não, e numa mão ele tem cinco dedos e na outra só tem três.

O bebê brincava com uma sacola de papel deitado sobre um pedaço de jornal na calçada da avenida.

A menina explicou a minha mãe foi fazer xixi, um dia, e aí o meu irmão nasceu, ele nasceu antes da hora. Por isso é que ele tem esses defeitos.

Bicicletas zuniam na ciclovia. O sinal abriu e pelo espelho retrovisor Maria Inês viu um Grand Cherokee preto ziguezaguear agilmente na tentativa de atropelar um pombo incauto que resolvera vir pousar no asfalto. Não atropelou.

A menina pediu tia, me dá um dinheiro. Os cabelos embaraçados presos por presilhas vermelhas. Depois disse tia, compra um chiclete.

O pombo que escapuliu da investida do Grand Cherokee foi pousar no parapeito de uma janela onde uma faxineira tinha dois terços do corpo do lado de fora enquanto esfregava a vidraça. E depois o trânsito começou a buzinar porque todos estavam atrasados para o trabalho, ou então apenas porque eram histéricos mesmo e não podiam evitar a buzina. Ninguém mais olhou para o bebê cuja existência era talvez só mais uma estatística, alguma coisa de se olhar de relance e dizer que horror. E os carros, os sinais, as ruas que se sucediam.

Mais tarde Maria Inês e Eduarda chegaram à ponte que cruzava a baía e onde o tráfego estava levemente congestionado um pouco antes das cabines de pedágio. Eduarda enroscou-se em seu próprio silêncio como um feto, virou-se de lado no banco e de costas para Maria Inês.

À medida que o carro avançou e a primeira hora de viagem escorreu, começaram a desfilar pastos do lado de fora, e bois não particularmente vistosos. De vez em quando, uma construção precária na beira da estrada, onde se vendiam pastéis, caldo de cana, pão com linguiça. E banana-passa. Quando cruzavam as cercanias de alguma cidadezinha, o carro trepidava sobre quebra-molas que estavam sempre se multiplicando porque as cidades cresciam, e cresciam engolfando a estrada — depois mudavam a estrada, e novas cidades começavam a surgir em torno dela, e em poucos anos os quebra-molas estavam lá outra vez. Caminhões paquidérmicos rolavam levando caixotes com banana, sacos de cimento ou gaiolas com frangos vivos.

Eduarda parecia adormecida, seu corpo sacolejava segundo o ritmo da estrada. Maria Inês estava ouvindo música, agora não mais Monteverdi nem Brahms mas aquele curinga, a trilha sonora de *Gênio indomável* que pertencia à sua filha e que fazia com que ela se sentisse um pouco mais jovem. João Miguel estava voando e sonhando, Maria Inês sabia qual o sonho de João Miguel e quase podia assistir-lhe como assistira a *Gênio indomável* no cinema. Tinha a ver com Veneza.

E (agora Maria Inês podia unir os extremos) pensava também em Clarice (dos punhos abertos com faca Olfa) e em Tomás (que gostava de um certo quadro de Whistler). Desconhecia-os na mesma proporção em que deixara de reconhecer uma parte de si mesma, mas uma e outra assertiva eram apenas meias verdades, no fundo tudo se resumia brevemente a um drama (no sentido teatral do termo) onde desfilavam várias mulheres, todas elas com o nome de Maria Inês e mais ou menos o mesmo rosto.

Estava colocando as pecinhas de um mosaico. Havia um lugar específico para Veneza. Para um jovem chamado Paolo. Para um professor de tênis e uma ex-mulher (Luciana) de um primo que trabalhava com cinema. Para João Miguel. Para o *vecchio* Azzopardi. Para garrafas de *chianti*, para um barítono chamado Bernardo Águas, para madrigais de Monteverdi (e para a trilha sonora de *Gênio indomável*), para uma filha, para duplas cicatrizes de faca Olfa e uma cicatriz de cesariana. Precisava arrumar tudo. E encontrar um lugar adequado para aquele grito.

Para aquela maldita adorável borboleta multicolorida.

Os minutos, as horas, os dias e os anos (de juventude, de ioga...) que Tomás passou ao lado de Maria Inês tinham cheiro de baunilha ou de lírios ou de copos-de-leite, qualquer coisa branca e adorável. Naquela época ele ainda não *sabia*. Era uma espécie de Adão antes da maçã — antes do pior pecado: antes da verdade. Uma verdade que não era sua, que não lhe pertencia, mas que doía do mesmo modo.

Ou: um conjunto de verdades. Feitas da mesma substância que forrava as paredes daquela tal Fazenda dos Ipês, a respeito da qual Maria Inês lhe contou durante um de seus primeiros encontros — ela parecia meio obcecada por aquilo, a mulher adúltera, o marido ciumento, a faca, sobretudo o linchamento: claro que é proibido falar sobre isso na casa de meus pais. Mas eu sei de tudo porque se comenta em toda parte, até hoje. Já imaginou? Um sujeito que por ciúmes é capaz de esfaquear a própria mulher. Será que ele amava essa mulher? Será que ele era louco? Louco de amor?

Tomás estava procurando pelas mãos de Maria Inês e achava aquela história de Fazenda dos

Ipês muito inadequada. Mas ela retornou, a mesma história, meses depois, enquanto ele desenhava um arabesco com nanquim sobre a anca nua de Maria Inês e ela já cabia em algum epíteto mais avançado — namorada? Amante?

Ela disse fico imaginando como exatamente esse sujeito foi linchado. Momento por momento. Será que quando atearam fogo ele já estava morto? Ou talvez estivesse só *meio* morto? A pior morte deve ser pelo fogo. Pior que afogamento ou tiro ou acidente de carro. Pior que a fome ou o frio ou.

Deixa isso para lá, Maria Inês.

Não consigo. Não posso deixar isso para lá.

E ela puxou para si um travesseiro — estavam na cama dos pais de Tomás, que voltava a ter utilidade e quase parecia feliz por isso, de novo perfumada e viva.

Há uma grande pedreira na fazenda, ela continuou. No morro que está por trás da casa de meus pais. Meu pai proibiu que fôssemos até lá porque do outro lado é fácil cair. Se bem que até hoje ninguém caiu. A pedreira termina de repente, como se você subisse uma escada e de repente acabassem os degraus. É muito alto. Lá de cima dá para ver a Fazenda dos Ipês.

Alguém deve estar morando lá, agora.

Maria Inês fez que não com a cabeça enquanto mordiscava como um bebê a ponta do travesseiro. E disse a filha deles herdou as terras, mas deixou tudo abandonado e sumiu. Se chamava Lindaflor. Coitada.

A ponta do travesseiro ficou úmida com sua saliva. Tomás começou a contar que conversara com os pais pelo telefone na véspera, que estavam bem, que ele lhes falara a respeito dela e que em Santiago do Chile estava nevando.

Eu gostaria de ver a neve, ele falou, infantil, e Maria Inês sugeriu por que você não vai visitar eles?, o que entristeceu um pouco Tomás: e ficar longe de você?

Vinte anos é também a idade em que se subverte a dimensão real das coisas. Em que o mundo é observado com lentes que distorcem, e tudo fica semelhante àquelas imagens de espelhos de parques de diversão.

Maria Inês deixou que o sorriso se armasse nos seus lábios sem deixar de morder a ponta do travesseiro, o que vinha a ser um suavíssimo gesto mais ou menos calculado de sedução. E Tomás compreendeu, e ganhou as costas dela com um abraço. Notou que a nuca estava um pouco suada — ali naquele local sagrado onde pequenos cachinhos nasciam como brotos de planta. Os beijos temperaram-se com o sal do suor e a superfície do corpo dele foi se colar à superfície do corpo dela.

No fundo do coração, porém, Maria Inês ainda não adormecera de todo aquela sombria lembrança da Fazenda dos Ipês vista do alto da pedreira proibida. As telhas enegrecidas pelo tempo eram como a carcaça de um animal morto, e lá dentro, sob as telhas, entre as paredes estriadas e esfoladas, fantasmas uivavam. Maria Inês acreditava em fantasmas. Alguma ideia parecia estar sendo gerada ali, naquele útero silencioso, em companhia da memória de um crime seguido de outro crime, em companhia da dor. Maria Inês acreditava na dor.

E enquanto sua voz libertava gemidos que se embaraçavam com umas roucas palavras de Tomás, e enquanto seu corpo conversava com o corpo dele, uma Maria Inês bem mais profunda e abissal continuava a sangrar.

Florian

O tempo feliz que Maria Inês e Tomás passaram juntos foi consideravelmente longo, mas as infelicidades estavam todas ali, rondando, como os espaços em branco entre as palavras de um texto. Como um tigre nas fronteiras perigosas do sonho. Ela faltava a muitas aulas de piano e francês para se encontrar com Tomás no apartamento dele ou para caminhar pela cidade com ele, de mãos dadas, encontrando uma genuína redenção no asfalto e nos paralelepípedos que brotavam do chão e matavam a terra e o mato que até então haviam sido basicamente tudo o que ela conhecia. O asfalto era mais firme sob os pés. E além disso não sujava os sapatos.

Tomás não era de todo clandestino, muitas vezes aparecia para visitas bem-comportadas de domingo-à-tarde na casa da tia-avó Berenice. Depois dizia a Maria Inês, quando estavam a sós: às vezes acho que a sua tia-avó sabe o que há entre nós, adivinha tudo e apenas se faz de boba, mas às vezes acho que ela é muito ingênua mesmo.

E Maria Inês sacudia a cabeça, dizendo com seu gesto: nem uma coisa, nem a outra.

Ela e a tia-avó Berenice não conversavam muito, Maria Inês não era dada a confissões e não gostava de pedir conselhos. E apreciava o fato de ter um namorado com quem fazia sexo sem que ninguém soubesse, contra todas as diretrizes morais que sua educação lhe imputara, contra todas as diretrizes morais às quais as moças da época obedeciam (o Rio de Janeiro não era São Francisco). Sentia-se quase vingada — quase. Ainda estava um pouco distante o momento em que poderia vingar-se totalmente, mas o embrião desse desejo (dessa necessidade) radical já havia começado a germinar dentro dela à maneira de um pequenino delgado furacão.

Às vezes Tomás. Às vezes João Miguel. A natureza das relações dela com o primo de segundo grau era distinta, mas talvez corresse mais fundo, o que não chegava a constituir um paradoxo. Flores e chocolates. Nada de encontros clandestinos. O corpo grande de João Miguel dava a impressão de lhe sobrar, como se estivesse folgado, uma camisa um número acima do seu. E sua alma ficava à deriva lá dentro. Forte-fraco, fraco-forte. Por isso, ele jamais poderia vir a *saber*.

Do mesmo modo como, anos antes, ali naquela mesma cidade, hospedada naquele mesmo quarto, Clarice iniciara sua empresa pessoal (que redundaria em fracasso), agora também Maria

Inês começava a colocar em prática um projeto seu: construir uma vida sólida sobre um substrato sólido, palpável, visível, nomeável. Precisava seguir com cuidado, passo a passo, suficientemente perto e satisfatoriamente longe de si mesma.

A primeira de suas determinações foi a de ingressar na faculdade de medicina, mesmo consciente de que nunca passaria de uma profissional medíocre porque não se interessava por medicina. Mas precisava da solidez daquela posição. Tinha a impressão de que acoplando a si mesma classificações e posições estaria se fortalecendo, e isso vinha a ser mais seguro do que tentar descobrir quem seria, de fato, Maria Inês.

Era preciso organizar, construir. Acreditar. Porque coisas demais já haviam sido vistas e vividas.

Tomás vinha a ser uma espécie de oásis. De certa forma, Maria Inês sabia que ele não seria *para sempre,* o que talvez valorizasse tudo quanto, naquele momento, representava. Tomás era seu corpo de mulher adulta. Era aquele alheamento integral e prazeroso que materializava o inalcançável (ainda que o inalcançável permanecesse inalcançável). Tomás era bom e fácil. Um amplo sorriso e um arrepio intenso. Se ela porventura resolvesse lhe mostrar um besouro ou um sapo, ele com certeza haveria de se divertir muito.

Um pouco antes do feriado de Páscoa, Maria Inês arrumou um útil resfriado que lhe forneceu motivo para não viajar para a fazenda. O resfriado passou rápido e na sexta-feira à noite João Miguel apareceu para sua regular visita, dessa vez com um buquê de flores do campo. A tia-avó Berenice ofereceu-lhe um licor que tinha uma bela cor rubra, e na tarde do sábado de Aleluia ofereceu o mesmo licor para Tomás junto com uns biscoitos de nata que acabara de assar e ainda estavam levemente mornos. Maria Inês comeu os biscoitos molhando-os um a um numa xícara de café. Na fazenda habituara-se a tomar café desde pequena e era aquele o remédio que a cozinheira lhe receitava para dores de cabeça, cólicas e outras mazelas. Depois dos biscoitos, do café e do licor que a deixava confortavelmente lenta, Maria Inês levantou-se da poltrona e disse bem, então agora eu e Tomás vamos ao cinema encontrar uns amigos.

Ele estava acostumado às mentiras improvisadas dela, de modo que nem levantou os olhos da bela taça de cristal que estava examinando e em cujo fundo restava um delicado círculo avermelhado. A tia-avó Berenice sorriu e duas covinhas apareceram nas suas bochechas. Sua mão direita estava acariciando um velho gato siamês e parecia quase destacada do corpo, evadindo-se pálida dos babados que ornavam o punho da blusa azul-turquesa. Ela não queria deixar que seus pensamentos especulassem muito e por isso havia desenvolvido aquele cacoete de acreditar no que lhe era oficialmente dito. Era capaz, por exemplo, de ler os jornais e acreditar em cada vírgula. De acordo com o mesmo princípio, sorriu seu sorriso rechonchudo para Maria Inês naquele momento, acompanhou-a e a Tomás até a porta e enviou um beijinho pelo ar enquanto eles esperavam o elevador. Divirtam-se! Depois fechou a pesada porta de madeira maciça cujas dobradiças rangiam um pouco, e recostou-se nela, e começou a pensar alguma coisa mas foi distraída por uma dupla de pardais que chegava à janela. Caminhou lentamente até eles, o mais lentamente que pôde, e minimizou o ruído que seus chinelos acolchoados produziam contra os tacos do chão. Mas os pardais pressentiram o movimento e voaram. Para longe. A tia-avó Berenice ficou ali, parada no meio da sala, sentindo-se quase vazia.

Ela era a irmã mais nova da mãe de Otacília e a única que morava no Rio de Janeiro. Havia nascido no último ano do século passado, o que lhe trazia uma discreta sensação de anacronia, quase como se não fizesse parte daqueles tempos. Era incômodo, por exemplo, preencher documentos e no local da data de nascimento ter que se deparar com o século dezenove diante de funcionárias frescas e rosadas que pareciam ter sempre acabado de sair do jardim de infância.

A tia-avó Berenice havia tido um grande amor na década de vinte: um músico. Pianista. Que era amigo de Heitor Villa-Lobos e de Mário de Andrade e havia participado da Semana de Arte Moderna em São Paulo. No Rio, ensinava no

Conservatório Nacional e dava bonitos recitais de Beethoven e Schubert. E Villa-Lobos, naturalmente — compositor de que a tia-avó Berenice não gostava, como não gostava de nada que os modernistas tivessem feito, mas tinha vergonha de confessá-lo. Apaixonou-se pelo pianista a despeito daquela sua vertente estilística, até porque ainda havia Beethoven e Schubert para redimi-lo (talvez Beethoven e Schubert sejam capazes de redimir qualquer um, ela pensava).

Chamava-se Juan Carlos e era argentino radicado no Brasil, dois anos mais velho que Berenice e esplendorosamente alto. Ela gostava sobretudo de deitar a cabeça no ombro de Juan Carlos, que parecia feito com esse exclusivo propósito, um ombro tão deitável, com a altura e a musculatura certas.

Namoraram corretamente durante dois anos e meio, e depois ficaram noivos. Berenice passou a exibir no anular da mão direita uma preciosidade de ouro, diamantes e uma única inesquecível pérola, enquanto se deleitava com Beethoven e Schubert e suportava Villa-Lobos. Em dezembro do ano seguinte, quando ela acabava de tricotar para ele um pulôver branco, Juan Carlos precisou ir a Buenos Aires. Tratar de uns assuntos pessoais. Calculava que iria demorar um mês, no máximo dois.

Demorou trinta anos e deixou Berenice atônita com seu anel de noivado no dedo e aquela insólita sensação de um incêndio oco na garganta. Ela sempre achava que Juan Carlos estava prestes a chegar, e assim ultrapassou irremediavelmente a idade *correta* de se casar, e quando o reencontrou, em 1956, no centro da cidade, ele era apenas um turista alto e grisalho e estava acompanhado pela bonita filha argentina que nem falava o português. Berenice já havia se tornado tia-avó.

No elevador, Maria Inês e Tomás estavam se beijando como amantes experientes.

Hoje nós não podemos, ela disse.

Então por que foi que você inventou essa história de cinema?

Não sei. Para sair um pouco.

Quando chegaram ao térreo e a porta pantográfica se abriu Maria Inês disse talvez pudéssemos ir mesmo ao cinema, que tal?

A carta de Clarice chegou uns dez dias depois. Ela escrevia num papel que tinha seu nome e sobrenome impressos e que combinava com o envelope, coisa sofisticada, presente de Ilton Xavier — que a amava porque ela não tinha segredos. A carta era formal e bem estruturada como as demais, com os assuntos divididos em parágrafos e notícias superficiais de todos. De todos. Roçava levemente em assuntos de plantio e colheita, cabeças de gado, litros de leite, mas mudava de objeto bem antes de tornar-se maçante como um relatório técnico, e falava do clima, das chuvas, de uma certa prima que havia dado à luz trigêmeos, de um vestido novo, de algumas esculturas. Foi somente no parágrafo dedicado a Otacília que Clarice quebrou aquele ritmo de cantiga de ninar e se estendeu um pouco mais, porque a doença agora já não era mais segredo, a doença cujo nome os médicos não adivinhavam e que iam tratando como se tateassem no escuro. Otacília estava com o humor abalado. Queixava-se de dores nas juntas, de muito cansaço, continuava emagrecendo e às vezes tinha febre baixa, mas não se dispunha nem mesmo a ir se consultar com um médico no Rio de Janeiro, ficava com os antigos doutores da família que moravam em Jabuticabais ou nas proximidades e que praticavam uma medicina baseada em vitaminas, fortificantes e instruções para repouso quase absoluto.

Maria Inês nunca viria a ser uma boa médica. Mas teria curiosidade suficiente para descobrir, quando isso já não era mais necessário, o lúpus eritematoso sistêmico que torturou Otacília durante mais de dez anos antes de matá-la.

A carta de Clarice encerrava-se com saudações cordiais e sugeria a Maria Inês que uma visita dela seria bem-vinda. Nas entrelinhas, palpitava a memória de um sorriso distorcido.

O prelúdio.

Agora já não faltava muito.

* * *

Agora já não faltava muito.

Duas horas e meia, três horas de estrada. Eduarda havia acordado.

Mãe, será que a gente pode parar um pouco?

Na subida da serra tem aquela lanchonete.

A Parada Predileta.

A Parada Predileta. Maria Inês sorriu. Quando sua filha era menor, ela e João Miguel tinham o hábito de levá-la à fazenda uma ou duas vezes por ano, muito embora isso já soasse a Maria Inês como uma incoerência. Uma anacronia. Visitavam a tia Clarice, figura *esquisita,* cheia de mistérios. Eduarda certa vez entreouvira que ela acabava de sair de uma clínica de *de-sin-to-ssi... de-sin-to-xi-ca-ção (ufa!).*

Mamãe, que clínica é essa que a tia Clarice saiu?

É uma clínica, uma clínica de beleza. Ela foi fazer uns tratamentos para a pele. Viu como está mais bonita?

Eduarda, com sete anos de idade, achava aborrecido visitar a tia Clarice porque ela vivia com um olhar tristonho, mas na fazenda havia muitos bichos divertidos, cavalos, bois e vacas, galinhas com pintinhos amarelos (certa vez afogou meia dúzia em tentativas inglórias de ensiná-los a mergulhar), cachorros, gatos, porquinhos, ovelhas, uma cabra. E havia pessoas muito especiais, como aquela cozinheira velha que contava histórias de terror junto ao fogão, à noite. Uma vez contou que assistira a uma batalha entre São Jorge e o diabo, no alto de um morro. Disse também que havia ossadas de animais largadas no coração dos bambuzais e que em noites de sexta-feira essas ossadas ganhavam vida e vagavam pelos pastos, chorando de saudade. E garantiu que, quando um grupo de cavaleiros atravessava uma porteira, o saci-pererê montava na garupa do último deles. Essas histórias obcecavam Eduarda, que estava sempre pedindo para ouvi-las mesmo que lhe tirassem o sono, mais tarde. À medida que os anos passavam, porém, as coisas mudavam. Um dia, a cozinheira que contava histórias de terror estava cortando lenha com um machado e uma lasca grande de madeira atingiu seu olho e furou-o e ela ficou cega e parou de trabalhar. Os bichos iam sumindo, morriam e não eram substituídos por outros. Um desconforto atrasado começou a crescer em Maria Inês, reação tardia a fatos que já estavam envelhecendo. Em dado momento, simplesmente pararam de fazer as viagens à fazenda. Maria Inês concordou com o desejo de Clarice de vender uma parte grande das terras porque o dinheiro aplicado no banco dava mais lucro do que o arrendamento. E as coisas pareceram assumir um equilíbrio definitivo.

O ar já tinha um cheiro e uma temperatura diferentes ali na Parada Predileta. Talvez pela hora do dia, ou pelo dia da semana, não havia ônibus no estacionamento e gente sujando de guardanapos e canudinhos usados o chão da lanchonete. Um menino descalço com o nariz escorrendo pediu para tomar conta do carro. Maria Inês e Eduarda apanharam os papeizinhos que registrariam seu consumo, não seria um largo consumo.

Eduarda teria pedido, em outros tempos, podíamos levar algumas coisas, um doce de leite, um pote de chuviscos, uma goiabada cascão. Naquela manhã, não pediu nada e continuou silenciosa. Foram ao banheiro, Maria Inês saiu primeiro e avisou a Eduarda por cima das portas das pequenas cabines estou te esperando lá fora, vou tomar um café.

Na parede ao lado da máquina muito velha de café estava pendurado um pequeno pôster com o rosto de John Lennon e a letra traduzida de *Imagine.* Maria Inês apertou os olhos e começou a ler. *Imagine que não há países. É fácil, basta tentar.* Ao lado, alguém colara com durex uma folha de papel ofício com a *Oração de São Francisco* manuscrita. *Senhor, fazei-me instrumento de Vossa paz.* Maria Inês apanhou o bule de alumínio já meio amassado, encheu a xícara de louça. O café estava um pouco fraco. Ela gostava de café forte. Curto. Como na Itália.

A janela lateral da Parada Predileta abria para um riacho de águas cor de caramelo. Maria Inês pensou na Itália. Em Veneza e seus canais mal-cheirando bem.

Um homem alto-baixo gordo-magro sentado-em-pé.

Eduarda aproximou-se e pediu uma xícara de chá. A garçonete derramou água fervendo num bule e pôs lá dentro um saquinho anônimo, que poderia ser uma infusão de erva-doce ou erva-cidreira.

Ao lado da Parada Predileta corria um riacho de águas cor de caramelo.

Os canais de Veneza. O Florian, onde um rapaz chamado Paolo.

A cena retornou a Maria Inês na íntegra. Talvez a estivesse revisitando com algum objetivo novo, como o autor que apanha o poema escrito há dez, quinze anos e remexe numa vírgula, encontra o sinônimo (que em vão procurara naquele então), acrescenta o ponto, substitui ou mesmo aniquila a rima. Uma revisão.

Agora ela se lembrava mesmo da cor exata do suéter que estava usando, era de lá, fazia algum frio naquele dia. Lembrava-se do gosto do coquetel que tomava e sobretudo do bom cheiro ruim que impregnava o final da tarde. Aquele sonho: Veneza. Não era uma viagem de lua de mel, ela e João Miguel estavam casados havia quatro anos. Mas era um dos requintes que ele queria incluir em sua vida, junto com os ternos bem-cortados e o uísque doze anos.

Veneza. Viagens. Itália. Moças bonitas, rapazes bonitos.

A pequena Eduarda, com dois anos e meio, havia ficado no Brasil sob os cuidados de uma prima. Maria Inês acabara de comprar para ela uma máscara de carnaval. E uns bichinhos de Murano. Estava feliz e resolveu comprar cartões-postais, enviar cartões-postais, por que não?, contando que estava sentada à mesa de um café anteriormente frequentado por Casanova, Wagner e Proust. Por que não? Levantou-se alegre e multicolorida e alinhou com as mãos os cabelos longos, tinha consciência de seu corpo todo, agora a temperatura estava agradável dentro do suéter de lã. Seu sorriso estava confortável. Atravessou a Piazza San Marco em meio à multidão de pombos e foi até o *negozio* que vendia postais e voltou quase saltitante, muito satisfeita com aquela fotografia que encimava a pilha (um canal de águas verde-escuras, um prédio de janelas mouriscas, uma árvore de galhos secos projetando-se sobre um muro descarnado).

Uma pontada de dor, apenas isso.

Havia alguém com João Miguel. Um jovem muito bonito. Conversavam. Maria Inês se aproximou e foi devidamente apresentada, *questa è mia moglie,* Maria Inês, este é o Paolo.

Paolo abriu um sorriso que era uma obra de arte. Disse duas ou três frases amáveis que João Miguel traduziu, depois arrematou tudo com um *ciao* que era pura música. Perfeito. Mas Maria Inês capturou o olhar que a excluía: o olhar entre Paolo e João Miguel. E, não mais explícito, aquele roçar de mãos que durou um segundo mais que o necessário e foi um milímetro mais intenso do que um roçar de mãos casual.

Uma pontada de dor, apenas isso.

Tudo começara muito antes: moças e rapazes jovens e bonitos. Ela só descobriu ali, naquele fim de tarde agradável na Piazza San Marco. E sentiu-se parcialmente culpada. Talvez João Miguel soubesse a respeito dela. E Tomás. Mas ela e Tomás já haviam deixado de se ver. Talvez João Miguel estivesse só *se vingando*. Talvez. Depois Maria Inês teve dor de cabeça. João Miguel deixou-a descansando no quarto do Hotel Danieli, não disseram (nunca disseram) nada a respeito do belo Paolo, mas Maria Inês sabia que o marido ia se encontrar com ele quando avisou vou dar umas voltas por aí, a noite está tão agradável.

Minha culpa, ela pensou.

Dezessete anos depois, percebeu que suas mãos já não se crispavam tanto sobre o volante do carro. Começou a cantarolar qualquer coisa com uma voz triste mas determinada, Eduarda olhou-a com estranheza porque outra música estava soando no carro e aquilo causava um efeito inusitado. Maria Inês percebeu mas terminou sua canção, depois perguntou você já ouviu falar sobre um compositor chamado Charles Ives? Eduarda fez que não com a cabeça mas se voltou para a revista onde sem dúvida estava lendo alguma coisa que considerava mais interessante do que Charles Ives. Maria Inês não se sentiu ofendida. Ao contrário. Estava agora experimentando uma solidão de outra natureza, com outra coloração e outro sabor. Uma delicada solidão, metade febre e metade amor, onde vingavam suas melhores dúvidas. Depois de dezessete anos.

Viu as árvores passando rápido dos dois lados da estrada, sabia que se desligasse o ar-condicionado e abrisse a janela poderia ouvir o ruído rouco das cigarras do lado de fora. Então pensou explicitamente em Tomás.

Ele chegou à fazenda depois de tudo. Otacília já estava morta. Afonso Olímpio já estava morto. Os dois eram apenas nomes pouco eloquentes inscritos numa lápide no cemitério de Jabuticabais. Os punhos de Clarice já haviam sido abertos e fechados. Maria Inês já era médica formada e já tinha dado à luz sua filha e essa filha já havia crescido consideravelmente. Todas as coisas já ocupavam lugares específicos que pareciam definitivos, a poeira estava se acumulando, o limo estava crescendo e em torno de tudo o silêncio pousava como uma sentença. Ele próprio, Tomás, já havia feito as pazes com aquela medíocre carreira de artista plástico que era o avesso das sofisticadas galerias de arte, das bienais, das mostras, dos panoramas, das retrospectivas. Seus pais também já não estavam mais: haviam voltado do Chile com a Abertura e morrido com calma e sem sonhos vários anos depois. Viveram o suficiente para lutar pelas Diretas já, e o suficiente para enfim votar para presidente em 1989. Ainda eram comunistas. Morreram comunistas. E Tomás, que nunca havia se engajado na luta, surpreendera-se votando no candidato do PCB naquele quinze de novembro. Lembrava-se disso agora.

Depois ele rompeu o contrato de aluguel do pequeno apartamento onde então morava, na Lapa, pertinho de uma escadaria que subia até Santa Teresa. E vieram as viagens.

As viagens. Nunca suficientes para conhecer o Brasil inteiro. De ônibus, ou pegando carona com caminhoneiros que transitavam por estradas inacreditáveis, esburacadas, corroídas pelo tempo e pelo pouco cuidado. Dormindo em pensões baratas, às vezes bucólicas e acolhedoras, mas quase sempre sujas ou hostis ou indiferentes, ou acampando. Pintando uns quadros aqui ou ali para custear os quilômetros seguintes. Fazendo retratos em giz pastel dos turistas risonhos. Aprendendo o timbre da voz dos insetos das florestas, dos mangues e dos igarapés. Afundando os pés na areia cristalina das praias. Vasculhando cidades grandes que eram uma selva ao avesso, e talvez ainda mais perigosas, com suas versões específicas dos insetos venenosos que com uma picada poderiam dar cabo de um homem, ou dos bichos carnívoros que saltam ao pescoço e arrebentam a jugular. Aos poucos, porém, o interesse foi se desfazendo, como um músculo cansado. Ou talvez Tomás estivesse mesmo envelhecendo. Pensou em parar, em encostar-se e desligar as máquinas, tornar-se pequeno (o menor possível). Vendeu o apartamento dos pais muito barato porque queria vender rápido, e negociou com Clarice a compra daquele casebre rústico de colonos que não via um morador em longos anos. Poderia ter sido em outro lugar. Em outro estado, até. Uma praia no Rio Grande do Norte. Santana do Deserto. A serra gaúcha. Mato do Tição. Goiás Velho. O sertão de Minas Gerais. Mas não foi em outro lugar.

Era muito comum conversar sobre suas viagens com Clarice, ela gostava das histórias. Durante aquela noite, enquanto esperavam por Maria Inês — quando se despediram já passava das duas — ele lhe falou da Chapada dos Veadeiros e do rio Araguaia e também da Serra do Ibitipoca, em cujo Parque Estadual havia aqueles nomes sugestivos, Cachoeira da Fada, Janela do Céu, Gruta das Bromélias, dos Moreiras, dos Fugitivos. Depois falou sobre os seis meses em que viveu em Fernando de Noronha, numa casa na Vila dos Remédios onde certa vez hospedou-se a bióloga que viera de fora estudar os golfinhos. Ele também namorou a bióloga que viera de fora estudar os golfinhos, e depois nunca mais se viram ou falaram ou escreveram. Mas na memória de Tomás vingavam umas manhãs que começavam muito cedo, antes do sol, quando a bióloga o levava para observar o movimento dos golfinhos na baía.

Durante aqueles anos que se interpuseram entre a ocasião da morte de Afonso Olímpio, quando se conheceram, e aquele momento em que se tornaram vizinhos, Clarice e Tomás não chegaram a perder o contato. Tinham Maria Inês em comum, sobretudo. Sempre ela. E, além do mais, Tomás *sabia,* Tomás conhecia a vertigem do sobre-voo de uma borboleta sobre uma pedreira proibida.

Teve algumas mulheres depois de Maria Inês. Não muitas. Nenhuma delas se parecia com um quadro de Whistler, ou de quem quer que fosse, nem chegavam a se parecer com os retratos que vez ou outra Tomás pintava delas. Como a bióloga que estudava os golfinhos em Noronha.

Acho curioso você nunca ter se casado, Clarice falou, certa vez, e depois explicou-se por-que achava que aquilo precisava de explicação: você sabe, é difícil chegar aos quarenta sem ter se casado, nem uma única vez.

Morei um tempo com uma mulher, uns dois anos. Isso é casamento?

Clarice deu de ombros. Acho que sim.

Você sente falta de filhos?, ele perguntou.

Sinto. Mas acho que os filhos que eu não tive foram pessoas de sorte, me desculpe se isso soa como um paradoxo. Eu não seria grande coisa como mãe.

Agora Tomás estava de pé, eram oito horas e as galinhas-d'angola de Jorgina, a cozinheira, pas-savam em desfile sob a janela do quarto, fazendo a algazarra costumeira. Jorgina morava a poucos minutos de Tomás, num antigo depósito que fora transformado num lar genuíno, com imagens de santos coladas com fita durex na parede, panos bor-dados sobre os móveis, uma cama separada do resto por uma cortina e a eventual visita de netos. Não tinha cozinha, mas Jorgina passava a maior parte do dia na cozinha de Tomás. Antes não tinha banheiro, Jorgina jamais morara em casa com banheiro. Mandara fazer aquela casinha por cima de um córrego, era o seu banheiro, tinha paredes de bambu, teto de sapê, não tinha piso e a latrina resumia-se ao próprio córrego. Tomás não achava aquilo de todo absurdo, já vira coisas bem piores, mas mandara construir um banheiro para Jorgina e ela ficara agradecida a ponto de seus olhos pejarem-se de lágrimas. Aos sessenta anos de idade tomou pela primeira vez um banho quente num chuveiro elétrico.

Naquela manhã fez o café doce como todos os dias e arrumou para Tomás a mesa como todos os dias, uma caneca limpa, o bule de café, a leiteira, um pires com manteiga e um tabuleiro com broa de milho. E ficou observando como ele se sentou, estava diferente, quiçá estivesse doente, com dor de cabeça, ou tivesse tido sonhos maus. Ele bebeu um pouco de café sem leite e depois acendeu um cigarro e fumou sem pressa, e se levantou, calçou os sapatos, saiu.

Talvez Tomás já tivesse envelhecido, talvez já tivesse atingido aquela espécie de planalto onde vão se extinguindo quaisquer formações geográficas mais intensas, talvez já pudesse apenas testemunhar a paisagem com seus olhos transparentes e pensar em tudo como passado. Tudo.

Ou quase tudo.

* * *

Era possível que Eduarda soubesse mais coisas do que aparentava saber. Que imaginasse, por exemplo, por que João Miguel tinha aulas de tênis com tanta assiduidade. Foi o que Maria Inês pensou quando ela lançou a pergunta envolvida num tom de quase casualidade, enquanto virava as páginas de sua revista e distraidamente levantava o olhar para a paisagem da estrada: e então, você e o papai vão se separar quando voltarmos?

Maria Inês não se surpreendeu. Viu um cachorro atropelado que jazia no acostamento, o ventre preto com o sangue coagulado, as vísceras expostas, e pensou que alguém deveria remover o bicho dali, enterrá-lo.

Depois respondeu com calma: é, talvez.

Eduarda fechou a revista, deu um suspiro. Sabe, isso não me deixa assim tão triste, não. Estranho. Acho que vocês não têm vivido muito bem. É claro que tem gente vivendo muito pior. Quero dizer, vocês não brigam, não discutem. Mas isso não é suficiente, não é mesmo?

Maria Inês apenas repetiu talvez a gente se separe. Não sei ainda. Não sei o que João Miguel acha de tudo isso.

Depois pensou mais uma vez, explicitamente, em Tomás.

Nove horas (no horário brasileiro de verão)

Morte em Veneza continuava no mesmo lugar e tudo o que Clarice sabia sobre o livro era aquela descrição inicial (a Prinzregentenstrasse e o resto). Agora se lembrava de um cartão-postal que Maria Inês lhe enviara de Veneza em — oitenta? Oitenta e dois? As datas já não eram tão importantes (como em *Morte em Veneza:* 19...). O cartão-postal também não era, Clarice provavelmente o havia jogado fora junto com as muitas coisas que vivia jogando fora.

Alguém caminhava pela estrada, um homem. Parecia Tomás, devia ser Tomás. Havia cigarras zunindo nas árvores. Clarice lembrou-se da fábula e de como, na infância, identificava-se desesperadamente com a formiga e de como, hoje, passara a se identificar com a cigarra. Deixar que os invernos viessem. Morrer de fome, se fosse inevitável. Mas antes passar um verão inteiro, esse verão ainda inédito, cantando com a sinceridade das cigarras e dos loucos.

O sol das oito horas (o relógio marcava nove: horário brasileiro de verão) estava se derramando sobre o morro atrás do qual ainda ficava a casa de Ilton Xavier (onde as múltiplas salas ainda tinham nomes) e de sua mãe viúva: agora ele era o homem da casa. A voz da autoridade. Na semana anterior Clarice passara perto, cumprimentara cordialmente Roseana, a segunda e definitiva esposa, que vinha pela estrada de mãos dadas com a filha pequena. E notara que a casa estava sendo pintada: sempre as cores originais. Depois soube que um grupo de pesquisadores universitários estava preparando um livro sobre as fazendas coloniais de café daquela região e ia fotografar as propriedades de Ilton Xavier. Mesmo que não houvesse mais nenhum arbusto de café ali.

Clarice ouviu o barulho de gavetas se abrindo e fechando, era provável que Fátima estivesse guardando as coisas guardáveis que normalmente andavam desarrumadas quando não era dia de faxina.

Ela havia passado o resto da noite lembrando-se de seu casamento com Ilton Xavier, mesmo que isso significasse tão pouco, ou talvez por esse exato motivo. Quando Fátima chegou para a faxina, cedo pela manhã, encontrou-a no jardim, com ar ausente, catando folhas que haviam caído de um plátano.

Então, é hoje o grande dia, disse, imaginando que Clarice devia estar muito feliz com a chegada da irmã. Depois de todos aqueles anos.

O cabelo de Fátima estava decorado com as tranças postiças que levavam cerca de oito horas para serem aplicadas e que custavam caro mas que uma amiga cabeleireira de Friburgo lhe fazia de graça. Ela vestia seu uniforme de trabalho: shorts muito curtos de algodão grosso que deixavam ver suas pernas fortes, escuras, bem-feitas e malcuidadas. Sandálias Havaianas azuis expondo unhas pintadas de vermelho (esmalte Risqué *rebu*), a mesma cor que se descascava nas unhas das mãos. Curtinhas, roídas. Camiseta de malha larga nas beiradas e nas mangas, revelando um passado acinzentado sob manchas de água sanitária e exibindo, na frente, aquelas palavras, *Boston, Massachusetts*. Fátima nem desconfiava que se referiam a um lugar — um lugar no mundo, onde pessoas (talvez um pouco mais ricas) também faziam faxina e esperavam a chegada de uma irmã catando folhas secas caídas de um plátano.

Clarice sorriu e ajeitou atrás da orelha uma mecha de cabelo que estava caindo sobre seus olhos. Ela não usava a mesma velha camiseta Hering branca tamanho XG suja de argila, mas um vestido azul-escuro com flores azul-claras que a deixava com um jeito manso, delicado. Tanto que Fátima sentia-se sinceramente inclinada a sentar-se ali um pouco, no jardim, sobre uma pedra, e conversar — sobre as muitas coisas que não eram ditas, sobre as versões extraoficiais dos silêncios que Clarice cultivava com tanto esmero:

os silêncios limpos, floridos, de aparência honesta. Havia trabalho, porém. Muito trabalho. Deixar a casa brilhando para que Maria Inês e sua filha não torcessem o nariz diante do passado e das garras rudes da natureza que regia as coisas, por ali. Fátima queria eliminar todas as aranhas, acabar com o cheiro do mofo que adormecia em alguns cômodos e armários, deixar todas as madeiras brilhantes, remover todos os cadáveres de insetos dos cantos onde eles se depositavam e das cúpulas dos lustres e abajures, destruir formigas e formigueiros, impregnar os banheiros com eucalipto e a cozinha com Veja Multiuso, deixar as vidraças das janelas tão transparentes que nem se desse por elas. Conversas teriam que esperar, mesmo aquelas apenas fantasiadas.

Agora Maria Inês estava a caminho. Clarice surpreendeu-se tentando adivinhar qual seria o carro dela. Hipótese após hipótese, acabou ficando com a de um luxuoso importado recém-emplacado, com direção hidráulica, trio elétrico, airbags e todas as adjacências mais que ela própria desconhecia. Depois envergonhou-se um pouco por sua má vontade e quis encontrar algum sentimento muito antigo que pudesse deixá-la simplesmente feliz com a chegada da irmã. Feliz como ficaria via de regra uma irmã com a chegada de outra irmã, um reencontro após muitos anos. Coisas fáceis, de superficialidade franca, coisas visíveis, audíveis e palpáveis, coisas com rosto de sol de meio-dia, de grilos verdejando nas moitas e de cigarras arrebentando nas árvores.

O homem que parecia Tomás sumiu junto com a estrada depois de uma curva.

O sol de janeiro era integral, mesmo às oito horas (nove horas: horário brasileiro de verão) e quase machucava a pele de Clarice quando ela deixava o abrigo das sombras das árvores. Felizmente, em toda a volta da casa elas estavam, as árvores. Algumas haviam deixado com surpreendente rapidez o status de semente germinando e eram agora um milagre em tronco e folhas sinceras. Eram como espíritos e estavam ali para acompanhar Clarice, para dar-lhe sombra, para observar sua solidão com amor e sem interferência. Para protegê-la.

Ela só tinha agora que esperar. Que o tempo (imóvel) trouxesse Maria Inês (de passagem): organizar seus próprios pensamentos dessa maneira dava-lhe a tranquilidade que ela supunha, por exemplo, em uma anciã — que já perdoou a vida e esqueceu as diferenças entre o útil e o à toa.

Seus cabelos estavam cheios de fios brancos que ela tingia com henna indiana. Estava envelhecida. Era seguramente a impressão que causaria em Maria Inês. Estava passando pelo tempo e sua deixa, sua fala, o momento em cena que lhe cabia talvez estivesse quase chegando ao fim. Agora, o essencial já estava cumprido, todos os passos e todas as dores. A herança: duas cicatrizes gêmeas nos punhos e uma coleção desorganizada de lembranças ferozes.

Quarenta e oito. Não era uma idade como outra qualquer. Requeria silêncio. Clarice tinha sua idade impressa no coração como um número de carteira de identidade. Ou o número de um presidiário no presídio. Ela *era* aquele número: quarenta e oito.

Em um mês, porém, chegaria fevereiro. Fevereiro de carnaval e aniversário. Quarenta e nove. Seria possível ainda improvisar alguns instantes a mais de atuação, já que estava ainda em cena? Seria possível inventar-se afinal um verão?

Agora, aos quarenta e oito, ela havia praticamente conseguido aniquilar as expectativas. Apequenar-se, restringir-se como o bicho que hiberna. Aquele estado de quase-paz devia necessariamente, pelos motivos óbvios, excluir Maria Inês.

E Maria Inês viria. Para quê. Com que propósito.

Talvez ela precisasse verificar se uma certa árvore de dinheiro havia brotado. Não por causa do dinheiro, claro.

As cartas escritas nas belas folhas de papel personalizadas (presente de Ilton Xavier) começaram a se expandir até o limite da insistência. Estava fora de cogitação nomear abertamente a situação (*mamãe está morrendo, venha logo*), mas, até onde permitia uma larga censura que revestia suas palavras feito cápsulas (ou feito engraçados sapatinhos de lã acolhendo pezinhos pálidos numa madrugada fria), Clarice estava sendo insistente. Muito insistente.

Acho que vou ter que ir até lá, Maria Inês disse a Tomás, enquanto seu dedo indicador magro de unha roída desenhava uma meia-lua magra nas costas magras dele.

Ela havia começado a se vestir, colocara a calcinha e a minissaia, mas depois deitou de novo ao lado dele na cama. Tomás tinha acendido um incenso (patchouli) e estava comendo uma barra de chocolate enquanto desenhava um elefantinho com caneta Bic num bloco pautado de anotações. Ele usava um anel de prata na mão direita. Presente de Maria Inês, com uma série de significados que ele próprio escolhera dar.

Ela virou-se de barriga para cima e Tomás ficou olhando os seios pequenos subirem e descerem no ritmo da respiração, suaves ondas oceânicas em manhã de calmaria. O amor apertou o peito dele como um torniquete. Maria Inês estava cheia de colares e pulseiras e anéis, andava cultivando um certo estilo hippie no jeito de se vestir. Eles ouviam um disco dos Mutantes. A ponta de um baseado consumido mais cedo repousava amarelada sobre um pires — aquelas pequeninas desimportâncias.

Claro que vai ter que ir, ela é sua mãe, ele disse.

Não gosto dela, Maria Inês falou, sabendo que aquelas palavras não eram verdadeiras, que estavam um pouco além ou um pouco aquém da verdade.

Mas ela precisa de você. Está doente. Não seja egoísta.

O tom dele tinha a benevolência forçada de uma professora primária cansada e insatisfeita com o próprio salário. Maria Inês não gostou.

Não venha falar desse jeito comigo.

Mas Tomás era manso, apenas sorriu e apanhou a mão dela para beijar o indicador com a unha roída.

O mês era outubro. Clarice e Ilton Xavier estavam fazendo aniversário de casamento: quatro anos. Ainda não havia nenhum herdeiro a caminho, para desolação geral.

Os sábados eram, inicialmente, dia de almoço com os pais dela. Conforme Otacília ia se sentindo mais enfraquecida, cansada e indisposta, porém, o almoço semanal passou a ser quinzenal, e depois mensal.

Otacília e Afonso Olímpio estavam ficando aos poucos confinados à casa e já assumiam um certo ar de mobília, tanto que ninguém acreditava que pudessem vir a morrer algum dia, apesar da doença sem nome de Otacília e de seus suplementos de ferro e vitaminas. Parecia natural o prognóstico de que os anos iriam passar, e depois as décadas, e, na sequência, os séculos, sem que

Otacília e Afonso Olímpio mudassem muito — talvez só viessem a adquirir um tom ligeiramente acobreado de madeira. Ou uma camada cinzenta de empoeirado desuso. Mas continuariam ali, respirando pouco, consumindo pouco ar e pouco alimento, sem sono e sem sorrisos. Otacília aguçaria os ouvidos para escutar a voz do bem-te-vi e do sabiá-laranjeira — que, no entanto, não revelariam nada de novo. E Afonso Olímpio olharia sem apetite para a farta mesa do café da manhã e estalaria os ossos dos dedos das mãos.

Seriam como inimigos que, ao fim da vida, se reconciliam na infelicidade.

A verdade, porém, era que Otacília estava morrendo e sabia disso. Morrendo rápido. Havia agora lesões em sua pele, pequenos machucados rosa-bebê (que lhe recordavam o tempo em que era uma criança que corria pelos quintais e levava tombos). A falta de ar era às vezes atroz e mordia as palavras na garganta dela, tornando o seu silêncio habitual ainda mais profundo e, de certa forma, mais cruel. Era um silêncio que usava suas frases avessas e brancas para explicitar o tempo todo aquele círculo: culpar-se, culpá-lo. A ele, Afonso Olímpio, seu marido e pai de suas duas filhas. A si própria. Ambos talvez a merecessem, a culpa, mesmo que a realidade se houvesse depois modificado e tomado rumos aparentemente satisfatórios. Porque as coisas estacionadas estavam como um vulcão e nem mesmo ela, Otacília, ou seu marido, ou suas filhas, poderiam esperar, com sinceridade, que aquilo fosse definitivo. No estômago da terra, a lava borbulhante e maldigerida se revolvia. Ela sabia.

Maria Inês também sabia. Com seus olhos inflamados e sua liberdade sexual. Com seu namorado Tomás, que agora lhe dizia: acho mesmo que você deve ir. Sua mãe precisa de você.

Ela se conteve e não respondeu eu precisei dela, minha irmã precisou dela demais, e daí.

Eram coisas não ditas que Tomás viria a compreender no futuro.

Maria Inês iria. Na sexta-feira próxima. Para testemunhar a morte de Otacília. Para vê-la morrer.

Na cozinha, Clarice, com sua aliança dourada brilhante, estava fazendo os biscoitos casadinhos que aprendera com a tia-avó Berenice. *3 xícaras de farinha de trigo. 2 xícaras de açúcar. 6 gemas. 3 claras. 1 colher (chá) de fermento.* Lembrou-se um pouco de Lina no início e menos depois. *Bata as claras em neve, junte as gemas e o açúcar, bata bem e por fim junte a farinha peneirada com o fermento.*

O táxi chegou assim que os biscoitos casadinhos terminaram de assar. Ainda faltava recheá-los e passá-los no glacê, mas isso teria que esperar, era mais importante ir recepcionar o táxi e sua ilustre passageira que vinha da rodoviária de Jabuticabais — a pequena rodoviária cinzenta com estacionamento para dois ônibus e banheiros públicos com pequenos cofres de papelão improvisados nos quais se inscrevia *caixinha, obrigado,* e com rabiscos de caneta nas portas, pelo lado de dentro, *Monica e Fábio, Alexandra e Adriano, Só Jesus Cristo salva.* Também havia um botequim onde se dependuravam uns poucos olhares bêbados e inofensivos ao redor dos quais rondava sempre meia dúzia de cachorros esfomeados, esperando ganhar um osso de uma coxinha de galinha. E havia uma banca de jornais. A nova prefeitura cercara a rodoviária com buganvílias cor de telha, cor-de-rosa, amarelas, deixando-a quase acolhedora.

Maria Inês desceu na rodoviária de mau humor, mas estava um pouco melhor agora que saía do táxi e tirava de sua bolsa hippie uma carteirinha hippie *(made in India)*, e dali o pagamento do motorista. Ela havia começado naquele semestre a dar aulas particulares de reforço de ciências, para crianças e pré-adolescentes com problemas na escola: era o *seu* dinheiro que estava pagando o táxi. E a gorjeta.

Clarice acenou, feliz, e depois deu as explicações que estava acostumada a dar mesmo quando não pediam: o Ilton Xavier está em casa, recebendo o veterinário que veio vacinar as vacas. Eu resolvi vir te esperar e preparar uns biscoitos. A mamãe está dormindo.

Não mencionou Afonso Olímpio. As duas deram-se um longo abraço que falava mais do que aquelas palavras curtas. Muito mais. Infelizmente.

Maria Inês teria adorado constatar que a vida ali se restringia à superfície, mas não.

Como é que ela está?

Mal.

E o pai?

Fica por aí, trabalhando como sempre, as empregadas comentaram que anda bebendo um pouco.

Saiu?

Clarice fez que sim com a cabeça enquanto brincava de passar sua aliança de casamento do dedo anular para o dedo médio e depois para o indicador, onde ela ficava apertada.

De manhã cedo. Para uma reunião na cooperativa, ela disse.

Maria Inês deixou sua mala e sua bolsa hippie no quarto. Clarice reparou no quanto estava cheia de anéis e brincos e colares e pulseiras. Bonita. Notou também suas sandálias baixinhas de couro que pareciam confortáveis. Depois as duas foram juntas até a cozinha, terminar os biscoitos casadinhos. E beber um pouco de guaraná.

Otacília estava acordada quando, meia hora depois, a porta de seu quarto abriu-se quase sem fazer ruído e suas filhas entraram, leves como fadas. Passava das três horas e a tarde de outubro estava resfriada, entrecortada por suaves e monótonos períodos de chuva fina. Do lado de fora de sua janela fechada, sementes vingavam e brotos cresciam ferozmente e borboletas multicoloridas morriam e eram carregadas por formigas.

O quarto cheirava a chá de hortelã. Otacília estava apenas esperando, os olhos abertos (águas-marinhas azuis de brilho devastador, meio febril) fixados no teto enrugado. As filhas não viram quando a consciência dela destacou-se ligeiramente do corpo e foi pousar no teto, deixando-a crua e rasa como um recém-nascido. Depois voltou.

O processo estava deflagrado. A batalha final daquela longa guerra silenciosa.

Maria Inês apanhou as mãos de Otacília entre as suas e viu a sombra da morte pousada como um beijo amoroso sobre a pele onde já havia algumas manchas senis. Otacília tinha cinquenta e seis anos de idade que pareciam estar ali subvertidos por alguma matemática perversa.

Atrás da cama de casal de jacarandá maciço estava dependurado um crucifixo de madeira. E uma pintura a óleo onde se via um menino com um cãozinho. Uma lagartixa estava morando ali atrás e, durante a noite, alheia a tudo mais, devorava mosquitos e outros insetos pequenos.

Otacília disse que gostaria de tomar banho e arrumar-se um pouco. Como o condenado que tem direito a escolher o menu de seu último jantar e pede um monte de iguarias e vinho de boa qualidade e café moído na hora e licor importado.

Maria Inês e Clarice ajudaram-na a andar até o banheiro e a se despir. O corpo dela estava tão magro, os músculos meio atrofiados devido ao pouco uso. Os seios eram pequenos: os seios herdados por Maria Inês (não por Clarice). Otacília não tinha cicatrizes de cesarianas, de apendicite ou de desespero (nos punhos, com faca Olfa). Mas tinha aquelas várias lesões na pele que Maria Inês notou com espanto.

Sentaram-na sobre o banquinho de plástico que agora ficava sob o chuveiro, Otacília não conseguia tomar banho sozinha, nem ficar muito tempo de pé. Quando a água boa, morna, desceu sobre seus cabelos grisalhos e ralos, Otacília fugiu de si mesma pela segunda vez. Dessa vez durou mais e ela acreditou firmemente que estava em São Lourenço. Onde havia passado sua lua de mel. Uma época em que ainda acreditava em muitas coisas, inclusive em si mesma. E sorriu um sorriso feliz (vinho de boa qualidade, café moído na hora).

Maria Inês e Clarice não se olharam enquanto ensaboavam Otacília e lavavam seus cabelos com xampu. Mas ficaram trocando umas frases falsas:

Aposto que aqueles biscoitos ficaram ótimos.

É uma receita muito boa. Aprendi com a tia-avó Berenice, quando morei lá.

Ah.

Acho que vou fazer um chá. Ou um chocolate quente. Que tal?

Ótimo. Vamos preparar um lanche daqueles de fazenda de luxo. Eu faço suco e pães de minuto.

Clarice começou então a enumerar: temos mel, temos geleia de goiaba, temos manteiga. E biscoitos casadinhos, claro. E amor em pedaços que a Narcisa fez ontem.

Vamos todas nos sentar à mesa.

E esperar pelo papai.

E esperar pelo papai.

Felizes.

Felizes.

Cheirosas.

Cheirosas.

Penteadas.

Penteadas.

Pareciam estar falando com uma criança. Mas não fazia diferença, porque Otacília não escutava.

Algo muito secreto e ruim passou pelo banheiro como um espírito. E deixou o banheiro, como o espírito de um espírito.

Não era um carro importado que trazia Maria Inês e Eduarda. Mas tinha ar-condicionado. Sem airbags ou trio elétrico. Com um *CD player* onde Maria Inês podia ouvir Bernardo Águas cantando

Monteverdi, ou a trilha sonora de *Gênio indomável* que ela tomara emprestada de Eduarda.

Haviam subido a serra e chegado a Friburgo com os ouvidos entupidos. Maria Inês ensinou mais uma vez à sua filha a manobra-para-desentupir-ouvidos: você tampa o nariz e sopra com força.

Eduarda obedeceu e mais uma vez se frustrou: não adianta, isso só faz o meu ouvido ficar ainda mais entupido!

Agora engole.

Eduarda engoliu uma vez, duas. Não adianta nada, é melhor bocejar. E bocejou várias vezes. O ouvido esquerdo acabou desentupindo, mas o direito continuou a incomodar.

Conversaram pouco durante o resto da viagem. O carro trepidou sobre os muitos quebra-molas que havia à saída de Friburgo. À esquerda, no acostamento, às margens do rio que ali passava minguado e sujo, havia caminhões estacionados vendendo melancias, laranjas e tangerinas. À direita havia lojas de móveis. Borracharias feias e escuras. Padarias. E uma construção imensa e moderna que não estava ali quando, dez anos antes, Maria Inês percorrera aquele caminho pela última vez.

Depois de Friburgo um pouco do ar fresco da serra foi ficando para trás. Mas Maria Inês e Eduarda não poderiam saber, o ar-condicionado estava funcionando bem. O carro era uma bolha móvel de clima europeu trafegando pelo interior do estado do Rio de Janeiro em pleno verão.

O ouvido de Eduarda desentupiu de repente, com um estalo.

Ai, até que enfim!

E ela se retraiu mais uma vez. Para inventar ou recordar um sonho. Para tentar unificar o mundo. Para querer, talvez, que as coisas fossem radicalmente diferentes. Para sentir na boca o gosto da melancia, da tangerina e da laranja que ela não comera. Para ouvir a música que tocava e se lembrar do filme de que ela gostara. Para ser intimamente Eduarda, sem culpas por ser Eduarda, vida pequena e móvel. E alimentar uma suspeita que estava palpitando em seu corpo. Que estava aumentando. Deixando-a quase nervosa, como se tivesse que ler uma redação em voz alta.

Otacília lanchou com as duas filhas.

Deu boa-tarde ao marido, quando ele chegou, e perguntou como havia sido a reunião na cooperativa, mas quando ele terminou de responder ela já não se lembrava mais do que havia perguntado.

Colocou duas gotas do seu precioso Chanel nº 5, uma atrás de cada orelha, antes de se deitar para descansar novamente.

Quando aquela tranquilidade inédita penetrou no quarto, semi-iluminado por um abajur fraco, ela soube que estava morrendo.

Ouviu as vozes das filhas conversando, no quarto ao lado, o quarto de Maria Inês. Depois ouviu um pouco menos, e sentiu uma vertigem que a fez pensar num navio em alto-mar em meio a uma tempestade. Depois também a vertigem passou, e ela abriu os olhos, e sorriu porque, na verdade, tudo era tão simples.

Hora extra

Para os funerais de Otacília, sua tia Berenice chegou correndo do Rio de Janeiro, sentindo-se desconfortável por causa daquela inversão: a sobrinha que morria antes da tia. Era estranho quando as gerações subvertiam seu tempo dessa forma, desordenando-o. E isso podia acontecer de tão variadas formas.

Foi só depois do enterro que Maria Inês telefonou para Tomás e avisou minha mãe morreu.

Ele protestou. Você devia ter me avisado *ontem*! Eu teria ido até aí.

Mas ela interrompeu e disse não precisava.

Não precisava. João Miguel estava lá. O primo de segundo grau e olhos vermelhos sinceros. Com flores, mas, pelas circunstâncias, sem chocolates.

No pequeno cemitério de Jabuticabais, Afonso Olímpio viu o mundo rodopiar sobre sua cabeça. Dentro de sua cabeça. Havia olheiras profundas na pele morena de seu rosto e dois sulcos ladeando a boca. Estava despenteado. O terno escuro vestia mal, ainda que em outras ocasiões tivesse vestido bem, o seu terno de tropical inglês feito sob medida. Maria Inês estava parada ao lado dele como um desafio. Não chorava. Clarice chorava muito entre os braços de Ilton Xavier, um pouco afastada.

Ele. Afonso Olímpio, o marido, o viúvo. O pai.

Ele havia bebido, Maria Inês sabia e Clarice também. Ele, Afonso Olímpio, que um dia havia sido amado com sinceridade. E agora estava ao lado das filhas inimigas. Enterrando a esposa inimiga.

Quando voltou para casa no final da tarde, dirigindo sua Rural Willys tão bem-conservada, ele notou que o céu sangrava. Havia um terço de madeira dependurado no espelho retrovisor e o crucifixo pequenino ficava chacoalhando no ritmo das oscilações da estrada de terra. Sujeito ao humor dos buracos, dos sulcos escavados pela chuva, das pedras e dos pedregulhos.

A chave girou na fechadura com intimidade, depois de tantos anos de um casamento sem conturbações. Dentro de casa, porém, havia um inquilino novo: aquele silêncio insone que chegou com suas bagagens, sem pedir permissão, e ali se instalou para ficar.

Afonso Olímpio penetrou no purgatório. Visitou cada um dos cômodos, lobo desconfiado que procura por armadilhas. Aguçou o faro e sentiu o cheiro do perfume de Otacília, que por um longo tempo sobreviveria a ela. Não acendeu as luzes, foi até o banheiro e urinou e lavou as mãos e o rosto na penumbra. Estava se sentindo como um deserto cujo solo arenoso e branco é aplainado pelo vento. Estéril, uniformemente vazio. No grande armário da copa (madeira pintada de azul com flores escalando as laterais dos vidros e enroscando-se nos puxadores das gavetas), apanhou um copo. Depois foi até o baú da sala de estar onde guardava, trancadas a chave, algumas garrafas de bebida forte.

Tinha uísque, ali. E cachaça. A melhor cachaça artesanal das Minas Gerais. Trazida de Barbacena. Encheu o copo e preparou-se para enfrentar a noite.

Teve a impressão de que um outro que não ele, um duplo, sentou-se à mesa para jantar a sopa de legumes preparada pela Narcisa, onde picou queijo amarelo e que tomou intercalando colheradas com bocados de pão com manteiga. E goles de cachaça. Narcisa viu que ele bebia, ele não se incomodou.

Ele nunca se incomodara. E se agora estava miserável e deserto, era simplesmente porque as coisas não estavam como haviam estado dez, doze anos antes. Otacília fora sua inimiga e cúmplice. Dez, doze anos antes, Afonso Olímpio era feliz e quase jovem; sabia como sanear aquilo que a idade começava a impor. Sabia como ir buscar a juventude na própria fonte.

Ao mesmo tempo, ele acreditava que *poderia ter se incomodado*. Se Otacília, cúmplice e inimiga, tivesse feito o que cabia a ela fazer e que ela preferiu guardar como um trunfo apodrecido no coração.

Tudo começava em Otacília e tudo desembocava nela. Ela era a crítica muda e a odiosa conivência. A mão que não agride nem acaricia, mas apenas repousa inerte sobre o tempo e existe de forma tão indispensável quanto incômoda. Otacília era a vida e a morte. A permissão e a negação. E as palavras que eles não haviam trocado durante vinte e oito anos em comum estavam respirando na sala, intumescidas, silenciosas, impossíveis, invertidas, dispostas a sobreviver para sempre.

As mesmas palavras que Clarice teria a impressão de quase poder ouvir, mesmo depois de tudo.

A memória de Otacília ficou sendo, para Afonso Olímpio, uma versão mais amarga e mais viva da própria Otacília. Um cachorro meio morto de fome que se sentava ao pé da mesa e, com dois olhos indecifráveis (águas-marinhas azuis), obrigava-o a enfrentar a si mesmo.

A comida lhe caía mal no estômago, mas ele comia mesmo assim. Porque não havia outra escolha — as escolhas estavam todas flutuando no passado. Se olhasse sobre os ombros, ainda poderia vê-las se afastando, de costas, já meio imersas na sombra. Uma ideia ocorreu-lhe, de repente, e ele a pronunciou em voz alta:

Em que plano de existência ficam as coisas que *não* fizemos? Que *poderíamos ter feito, mas não fizemos*?

Ele enxergava o rosto dessas coisas todas. Mas não tinha a certeza de amá-las. Eram como um filho desconhecido que um dia aparece, com vinte anos de idade, barba na cara e carteira de identidade no bolso.

Não havia remorso em Afonso Olímpio, assim como não havia uma convicção sustentável acerca da forma como agira. Agora, aquele silêncio penetrava-lhe pelos ouvidos e comprimia-lhe o cérebro, e cada vez mais as palavras lhe fugiam. Ele se serviu de um pouco de doce de abóbora, mas deixou-o intocado no prato de sobremesa. Tomou um gole de café. E foi se sentar na varanda, com o copo de bebida na mão. O céu já não sangrava, mas o opaco da noite sem estrelas fazia pensar em sangue coagulado.

Subitamente, ele compreendeu. Um arrepio de medo percorreu-lhe o corpo. Havia, sim, um plano de existência onde ficavam depositadas (como dinheiro numa conta bancária) as coisas que ele não fizera. Que poderia ter feito. Que deveria ter feito. E em sua memória conclamou-se a visão de uma menina de doze anos cujos seios começavam a despontar como duas pequenas peras sob a delicada blusa de *laise*.

Depois dos funerais de Otacília e do secreto telefonema para Tomás, Maria Inês pediu a João Miguel que a levasse no carro dele.

Não vou para casa agora. Não sei para onde vou, ela disse. E completou, sem amargura, neutra como um gole d'água: nem sei onde é a minha casa. É a casa da tia-avó Berenice, no Rio? É a casa do meu pai, na fazenda? É a casa de minha irmã, junto com o marido dela e o sogro e a sogra?

Cruzaram a pequena Jabuticabais de ponta a ponta em poucos minutos e fugiram da cidade pela porta dos fundos. Os olhos de Maria Inês estavam secos e João Miguel não compreendia por quê.

João Miguel não *sabia*.

Para onde você quer ir?

Não sei. Mas depois ela se lembrou que a uns dez quilômetros dali havia uma entrada à direita e disse vai por ali.

Seu primo de segundo grau e futuro marido obedeceu.

Ela perguntou em seguida, quase casual: seu pai?

Viajando. Tratando de negócios.

Como sempre.

Como quase sempre.

Volta quando?

Não sei. Dentro de uma semana, dez dias.

Ela olhou para a estrada distorcida pelo lusco-fusco. Pensou em Afonso Olímpio e uma bola de fogo escorregou por sua garganta e lhe queimou o estômago.

O carro virou à direita no lugar indicado.

E agora?, perguntou João Miguel.

Daqui a pouco tem uma ponte. Logo depois da ponte, o rio se abre num pequeno lago muito bonito.

Não era tão bonito assim. Fazia anos que ela não visitava aquele lugar, sua infância registra-o como paradisíaco mas ela agora podia constatar que não era nada especial. Deixaram o carro estacionado junto a um bambuzal e seguiram a pé por uma pequena trilha descendente e íngreme. A distância, os bambuzais escurecidos pareciam enormes insetos peludos. Aranhas-caranguejeiras gigantes. João Miguel escorregou, caiu sentado, Maria Inês achou graça. A calça dele ficou suja de barro no lugar da bunda. Depois chegaram à margem do lago de água cor de melado, barrenta, queimada pelo escurecer da tarde. Sapos-martelo martelavam por toda parte e um grupo de patos reunia-se na margem, a alguns metros dali. Havia libélulas zunindo sobre a superfície da água e o canto dos pássaros noturnos misturava-se ao de alguns pássaros diurnos tardios que provavelmente estavam fazendo serão. Hora extra.

Maria Inês falou houve um tempo em que eu gostava de pegar sapos para te assustar.

Besouros também, João Miguel acrescentou, mas eles não estavam sorrindo como dois adultos jovens que se lembram carinhosamente das gracinhas da infância.

Dois adultos jovens. Tinham idades próximas. Ele acabara de fazer vinte e dois. Ela faria vinte e um em breve. Dois adultos jovens.

Com jovens possibilidades adultas multiplicando-se em seus adultos corações jovens. Como o beijo que não pegou João Miguel de surpresa. E as subsequentes carícias que não pegaram Maria Inês de surpresa.

Estavam sentados numa pedra baixa entre um grupo de pedras mais altas. Uma mangueira imensa recortava-se contra o céu. Morcegos voavam de uma árvore a outra, amigáveis, delicados, como impressões não muito profundas ou definitivas acerca de algum lugar ou de alguém. Maria Inês pensou em Tomás e no apartamento desarrumado cheirando a tinta e imaginou que talvez aquela fosse uma das adultas possibilidades jovens de liberdade. O amor. Quando quisesse e com quem quisesse?

João Miguel não perguntou quem havia sido o primeiro homem dela. Nem quantos homens ela tivera. Maria Inês já (ainda) era uma mulher de vinte e um anos quase completos, e ele não sabia exatamente como se posicionar diante daquilo: se com temor ou respeito, se com admiração ou dúvida ou simplesmente amor. Conforme avançava, ia percebendo que o corpo dela não era em absoluto ignorante. O ciúme que entrou nele como um espírito sofreu mutações enquanto migrava por sua corrente sanguínea e chegou-lhe ao coração como um sentimento um pouco mais confuso do que o ciúme. Um pouco mais possessivo, talvez um pouco mais destrutivo — mas isso não haveria como saber, por ora.

Ali poderiam talvez ter previsto tudo. Veneza. O Florian. Bernardo Águas. Eduarda. O apartamento branco no Alto Leblon. O professor de tênis. As noites de Natal. A profusão de mármores. Mas eram apenas adultos jovens mais jovens do que adultos.

Maria Inês não havia planejado aquilo. E João Miguel acreditou, equivocadamente, que aquele final de tarde em que fizeram amor sobre uma pedra desconfortável à beira de um lago cor de melado devia-se apenas a alguma confusão emocional dela, causada pela morte da mãe.

A morte de Otacília não causara confusão emocional em Maria Inês. Outras coisas, sim. Outras coisas piores do que a morte.

Maria Inês estava experimentando liberdade. Sem saber que liberdade não era exatamente aquilo. Ficou deitada sobre o peito de João Miguel — que tinha músculos e pelos, ao contrário do peito de Tomás. Fizeram silêncio e esperaram que as primeiras estrelas aparecessem, mas elas não apareceram porque as nuvens estavam se reunindo e ficando mais espessas. Maria Inês achou que o céu opaco parecia uma ferida gigantesca. De repente João Miguel lhe fez a pergunta mais improvável, quis saber se havia *sido bom para ela* — aquela pergunta que nunca havia saído da boca de Tomás porque Tomás preferia *sentir* se havia *sido bom para ela,* e quando por acaso achasse que não, tomar suas providências com a meticulosidade de um artesão, com a paixão integral de um poeta. Maria Inês não quis responder porque ela própria não sabia. Talvez sim, talvez tivesse *sido bom. Diferente,* ela pensou. Mas ele era um outro homem. Não disse nada e apenas sorriu um sorriso um pouco confuso e deu dois beijos em João Miguel: um sobre o olho esquerdo. Outro sobre o olho direito.

Só voltariam a se encontrar daquela maneira dali a um ano, porque o pai dele, que estava começando a merecer aquele epíteto, *vecchio,* quis mandá-lo para uma temporada mais longa na Itália. Estudos de pós-graduação. Aquele beijo duplo, porém (olho esquerdo, olho direito), continha mais promessas do que poderia parecer.

Estavam inconscientemente noivos. *I promessi sposi.*

Quando Maria Inês finalmente chegou em casa (não era a *sua* casa), o relógio de pé marcava nove horas e dez minutos. Não havia nenhuma luz acesa. Afonso Olímpio estava no quarto, acordado e bêbado, e de lá ouviu os passos dela (a maior inimiga) ressoando pela casa como uma ameaça.

Os passos de Maria Inês faziam barulho, agora. Era proposital. Porém, já não havia mais sementes de cipreste para recolher.

Na manhã seguinte ela se arrumou para partir antes mesmo de sair do quarto para ir ao banheiro se lavar. Chegou à sala de jantar com sua bolsa de viagem a tiracolo, mas não encontrou Afonso Olímpio.

Narcisa avisou, enquanto servia pão e leite quente: seu pai pediu para dizer que teve que sair cedo. Foi ver qualquer coisa com as vacas.

Depois saiu, esfregando os olhos que ainda estavam marejados por causa da morte da patroa.

Maria Inês apanhou um pão e lembrou-se de que, numa época em que o bom humor era mais cotidiano e fácil, gostava de brincar de chamar o pão de minuto de *pão diminuto*. Sublinhou para si mesma o fato de que estava sozinha. Raras vezes havia ficado sozinha naquela casa. Teria gostado de encontrar-se com João Miguel, conversar, ficar em silêncio olhando a abelha que entrara pela janela e executava uma lenta dança aérea sobre a mesa colorida e perfumada. Ouvir o bem-te-vi e o sabiá-laranjeira que se ocupavam das questões específicas das vidas deles e ignoravam inteiramente o drama que se desenrolava ali. João Miguel, porém, havia ido embora na véspera. Ao volante de seu carro, com a estrada noturna contorcendo-se diante de seus olhos e o cheiro de uma prima de segundo grau revolvendo-se em suas mãos como um pequeno passarinho manso. Estacionou por dez minutos diante de uma certa Parada Predileta meio anestesiada pela noite para beber café forte. Por precaução. Ele não tinha sono e continuou assim mesmo ao chegar ao Rio de Janeiro, à uma e meia da madrugada.

A abelha examinou a mesa com aparente meticulosidade, mas acabou encontrando seu caminho para fora dali. Fazia sol no jardim, apesar das nuvens da véspera, e lá fora as coisas pareciam mais convidativas. O ipê-roxo salpicava o chão com retalhos irregulares de sombras. Insetos fatiavam o ar velozmente, zumbindo com seu timbre de baixo-barítono. Havia flores arroxeadas e brancas no manacá e outras de um rosa vibrante na moita rasteira de onze-horas que brotara, crescera e se espalhava por conta própria — flores delicadas que se abriam pela manhã e morriam junto com a tarde. Havia flores breves também no hibisco, mas essas eram enormes e alaranjadas, com o miolo escuro. Maria Inês saiu de casa com sua bolsa de viagem e os cabelos grossos (de uma garota de Whistler) amarrados num rabo de cavalo com um lenço lilás. Marimbondos estavam construindo meticulosamente uma casa nova sob o telhado da varanda, mais cedo ou mais tarde Narcisa iria destruir o trabalho deles com uma tocha de fogo como fizera todas as outras vezes, e carbonizar seus ovos e larvas.

Maria Inês sentou-se no chão da varanda, as costas apoiadas na parede. Tirou de sua bolsa de viagem um bloco de notas e um lápis para escrever o bilhete. *Pai, estou indo embora.* Ela teria adorado acrescentar coisas como *se precisar de qualquer coisa, me telefone ou escreva, volto em breve, cuide-se, saudades da filha que muito te ama.* Um bilhete de filha para pai.

Não acrescentou nada e não assinou o bilhete, deixou-o na mesa de centro da sala de estar sob um peso de papel. E viu o táxi que contratara na véspera cruzar o mata-burro trepidando de leve. Despediu-se de Narcisa com um abraço que não pedia nem oferecia consolo, um curto abraço de despedida sem significados ulteriores.

Me faz um favor, Narcisa. Vai até a casa da Clarice. Diz a ela que precisei sair cedo e que escrevo assim que puder.

E ela entrou no carro e fechou a porta e não olhou para trás. Não viu o vulto de seu pai a distância. Não viu um lenço com vermelhas rosas vivas caído na estrada. Acreditou firmemente que nunca mais voltaria a pôr os pés ali.

Talvez isso pudesse mesmo ter acontecido, se não fosse por Clarice.

Se não fosse por Clarice. A inexistência de Clarice teria feito uma diferença significativa na vida deles, Maria Inês, Otacília, Afonso Olímpio. E, no entanto, ela existia como existira sempre, inofensiva, pequena, obediente, falando baixo. Penteada e calçada. Maria Inês sabia que amava Clarice. Não tinha dúvidas. Mas às vezes esse amor ficava agressivo e se desdobrava na possibilidade de olhos inflamados, por tantos motivos. Porque Maria Inês perdera sua infância cedo demais. Porque Clarice sofria. E por aquele paradoxo: se Clarice não existisse, Clarice não sofreria.

Maria Inês pensou na irmã em seu quarto de casada, penteando os cabelos diante da penteadeira e calçando meias limpas sentada na ponta da cama. Pensou em Ilton Xavier assoviando enquanto fazia a barba, de cuecas. Pensou nos pais dele fazendo orações à mesa antes de cada refeição e em Clarice obediente fazendo o sinal da cruz, *amém,* antes de desdobrar cuidadosamente o guardanapo de pano. Pensou em sua mãe que agora morava no cemitério de Jabuticabais e cuja existência cumprira aquele arco predestinado, do nada ao coisa nenhuma, e somente durante um pequeno intervalo concretizara-se na figura dela, Otacília. A mãe que distribuiu abraços de menos, palavras de menos e sobretudo atitudes de menos.

Então Maria Inês chorou, e o motorista do táxi viu pelo espelho retrovisor da sua Variant velha que ela chorava. Sentiu pena e quis ajudá-la e a ajuda que encontrou foi oferecer-lhe uma bala de hortelã embrulhada em papel verde e prateado.

* * *

Maria Inês viajou desconfortavelmente durante horas. O asfalto da estrada estava roto como um pedaço de pano muito usado e o ônibus que a conduziu de Jabuticabais até Friburgo cheirava mal, cheirava a manteiga rançosa e pelo de cachorro. De Friburgo até o Rio as coisas melhoraram um pouco. Não muito. Quando a serra terminou e começou a baixada, imediatamente a temperatura subiu. Pelas janelas abertas do ônibus chegava até ela o barulho do motor, incômodo, monótono, enjoativo.

A poltrona vizinha à sua estava vazia. No banco ao lado, separado pelo corredor estreito, uma mãe jovem amamentava seu bebê, que estava todo embrulhado numa manta amarela. Uma mãozinha tão pequena fugia de dentro da manta e agarrava o dedo da mãe enquanto os olhos abertos recebiam o mundo que talvez ainda não conseguissem enxergar direito.

Aquele mundo.

O motor do ônibus roncava. Maria Inês agarrou-se à sua bolsa de viagem como se tivesse medo. Sentiu cheiro de fumaça. Fechou os olhos e ingressou num estado confuso de semissono do qual só saiu quando o ônibus já chegava à ponte Rio-Niterói. Ela viu o morro do Corcovado a distância, e o Cristo lá em cima, de braços abertos. Estava voltando para a cidade, para uma (outra) casa que não era a sua, para um namorado por quem não estava apaixonada e para as provas difíceis do final do segundo ano da faculdade de medicina.

Tudo estava quase igual. Essa era a constatação mais dolorosa.

No banheiro sujo da rodoviária do Rio de Janeiro alguém também escrevera sobre uma porta, com caneta: *Só Jesus Cristo salva.*

Os olhos transparentes de Tomás se fixaram naquele ponto em que as árvores do alto do morro estavam silhuetadas contra o azul do céu. Ficaram abertos durante um tempo considerável e Tomás só pôde fechá-los quando as lágrimas começavam a transbordar. Piscou e as lágrimas transbordantes viraram dois riachos gêmeos em seu rosto e ele secou o rosto com as costas da mão direita.

Estava caminhando pela estrada que havia sido a estrada da infância de Maria Inês. Devia haver algum significado naquilo.

Para ser óbvio: devia haver algum significado em tudo.

Tomás conhecia a história. Ele *sabia.* Olhou para trás, para a direção da casa de Clarice, e viu a pedreira erguendo-se ao longe. Muito alta.

Uma pedreira proibida sobrevoada por borboletas. Que tivera aquela participação involuntária no desenrolar dos fatos e continuava mansa em sua existência de pedra, em sua respiração morna de pedra, com seus pensamentos suaves de pedra. Lagartos continuavam passeando sobre sua pele e borboletas continuavam a sobrevoá-la.

Tomás nunca tinha tido interesse ou disposição para subir o morro alto e cruzar o pasto quase sempre infestado por carrapatos, para transpor a pequena mata e chegar à pedreira. Tomás nunca vira o mundo lá de cima, o rio como uma estria dourada e os animais no pasto como brinquedos, não vira a Fazenda dos Ipês soluçando no abandono. Essas coisas ele só conhecia através dos relatos antigos de Maria Inês.

E agora não lhe interessavam mais. Ao longo dos anos ele aprendera as vantagens de carregar consigo poucas coisas — poucos livros, poucas roupas, poucas amizades e poucas memórias. Precisava exercitar-se tentando a qualquer custo deixar do lado de fora de sua vida aquilo que não lhe parecia indispensável. A história de Maria Inês, por exemplo.

Acendeu um cigarro.

É claro que não havia sido sempre assim, é claro que antes ele era muito menos sábio. E consideravelmente mais teimoso. Mas agora tinha a sensação de que os dias que percorria não lhe reservariam surpresas, se ele se mantivesse atento. Vigilante.

Nenhuma surpresa. Nem mesmo o carro desconhecido que vinha se aproximando diante dos olhos dele, em velocidade baixa, oscilando sobre a estrada de terra como uma bailarina meio bêbada. Nem mesmo o momento em que o carro parou ao seu lado sem desligar o motor e ele pôde ver por trás da janela de vidro que descia devagar aquelas duas mulheres, uma muito jovem, a outra já não mais. Uma com olhos transparentes. A outra ainda tão parecida com um quadro de Whistler, apesar dos cabelos curtos e do disfarce dos óculos escuros.

Um fabuloso anel comprado em Veneza

Olhando pela janela do apartamento, Tomás podia ver o mar, à esquerda, e no mar um navio se movia imperceptivelmente — era provável que fosse, ao contrário, bem veloz: voltando a olhá-lo minutos depois, era óbvio que se deslocara, e aquilo que parecia a Tomás um espaço mínimo devia corresponder a um bom pedaço de mar. Ele imaginou as máquinas do navio em funcionamento, todas aquelas máquinas de dimensões enormes operadas por muitos homens e a água se deslocando sob o corpo maciço do navio e achou curioso que a distância tudo aquilo parecesse imóvel.

Aquele foi um ano que marcou tantas coisas. À janela do apartamento na rua Almirante Tamandaré, Tomás era agora um homem de vinte e cinco anos sentindo-se meio roído pelas dúvidas pessoais que seus pais não lhe haviam ensinado como resolver porque estavam muito ocupados fazendo política. Talvez também por isso Tomás sentisse algum ciúme daquela coletividade que ele próprio classificava como inviável.

Inviável, é possível, disse-lhe seu pai certa vez, mas completou: ainda assim precisamos lutar. Para que seja mais digna, ainda que talvez, em última análise, inviável.

Tomás, um jovem confuso. Decepcionado com a dificuldade de criar uma realidade (em sua própria pele, além dela) a partir de fatos simples. Decepcionado com a sinuosidade da vida e com a forma como ela parecia sempre dever sublinhar-se com negativas, e tantas vezes ser um paradoxo ou uma inversão de si mesma.

Sentia seus quadros murchos feito as frutas que esquecia por muito tempo dentro da geladeira. E quanto a ela, Maria Inês, amor e musa, Tomás temia havê-la perdido, sem querer reconhecer o fato de que na verdade nunca a tivera. Mas perseverava.

Agora andava às voltas com uns temas religiosos, e seu estilo ganhava um sotaque barroco. Pintou uma enorme madona em cores vivas e muitas pinceladas que agradou a um marchand e o marchand pôs o quadro na galeria e vendeu-o bem. Mas Maria Inês não estava mais com tanta frequência a seu lado para dividir nem mesmo essas pequenas glórias.

Perdi a minha musa, escreveu para os pais naquela tarde em que o navio cruzava imperceptível aquele pedacinho de mar visível de sua janela. *Espero que seja só temporário.*

Não era.

Maria Inês estava embrulhada em si mesma. Gerando outra Maria Inês. Que lhe serviria de máscara durante as décadas futuras e encobriria as imperfeições da Maria Inês anterior.

No prédio artdéco, ela estava escrevendo uma carta para a Itália naquele exato instante em que Tomás escrevia para o Chile. Uma tarde acolchoada de janeiro, quente, em que se ouvia o zumbido constante das cigarras. Os gatos da tia-avó Berenice esparramavam-se pelo apartamento como estátuas *kitsch*. A tia-avó tomava chá preto e comia torradas e assistia televisão.

Aquele ano que marcou tantas coisas manteve a todos um pouco afastados, a princípio: Clarice estava na fazenda, cuidando de seu casamento que estava fadado ao insucesso. João Miguel viajava e estudava e começava a alimentar a ideia de comprar um certo anel para uma certa prima de segundo grau e propor-lhe o noivado que ele não sabia já estar selado. Afonso Olímpio contava seus minutos, contava os grãos de areia que caíam da ampulheta, e bebia sua solidão. As flores do cemitério de Jabuticabais morriam e nasciam como sempre haviam feito, desde bem antes daquela nova lápide em que aquele novo nome, Otacília, se inscrevia.

Talvez fossem todos equivalentes dos ingredientes de um bolo. De biscoitos casadinhos. *3 xícaras de farinha de trigo. 2 xícaras de açúcar. 6 gemas. 3 claras. 1 colher (chá) de fermento.* Talvez fossem todos marionetes inconscientes de si mesmos. Máscaras que escondiam seus próprios rostos. Experiências, ratos de laboratório nas mãos de um Deus tão inventivo quanto cruel, tão curioso quanto sádico. Ou talvez não fossem coisa nenhuma e tivessem a importância histórica de formigas que morrem afogadas numa poça d'água que sobrou da chuva. Flores que se abrem às onze horas e secam junto com a tarde.

Talvez nada tivesse tido e nada viesse a ter importância real. E a história que englobava todos eles fosse apenas um pequeno traço na parede, um rabisco feito com lápis de cera por uma criança travessa.

Porém, havia alguma coisa insuportavelmente grande em tudo aquilo.

Quando João Miguel voltou da Itália no início de agosto daquele mesmo ano que marcou tantas coisas, trazia na bagagem um anel para Maria Inês. Foi na fazenda que se reencontraram, mas não na casa do pai dela. Maria Inês estava se hospedando com Clarice. Afonso Olímpio estava morto e seu funeral havia acontecido um mês e meio antes.

Eu sinto tanto, Maria Inês. Ele a abraçou e sentiu raiva de si mesmo porque quando passou as mãos pelas costas dela e notou que ela não usava sutiã um fósforo se riscou no meio do seu corpo. Não era hora para aquilo.

Foi tão rápido, ele disse, com voz de pêsames. Quero dizer, entre sua mãe e ele. Menos de um ano.

Ele estava bebendo demais, ela falou.

Era tudo o que estava disposta a revelar a João Miguel. Porque era a ele quem escolheria, afinal, e não estava disposta a passar o resto dos seus dias se olhando num espelho inclemente que a desnudasse. Que a fizesse lembrar quem era.

O anel havia sido comprado em Veneza — a Veneza onde havia um certo Café Florian. De Proust, Casanova, Wagner e um belo jovem chamado Paolo. *Sentado-em-pé num banco-de--pedra-de-pau.* Custara caro como custavam todas as coisas em Veneza. Estava guardado na mala de viagem de João Miguel, no seu limbo de veludo azul-escuro, esperando pelo *sim* de Maria Inês. Sonhando com o dedo anular da mão direita dela.

Eu suponho que ninguém esperava, ele disse.

Eu esperava, sim, Maria Inês interrompeu-o. Você não sabe como ele estava. Acabado. Um bêbado.

Você não devia estar falando assim do seu próprio pai.

Ela não respondeu.

João Miguel não notou que as palavras de Maria Inês não carregavam raiva ou mágoa, e diziam apenas a verdade. Que o fogo dos olhos dela estava misteriosamente extinto, mas que agora a angústia palpitava em algum ponto de sua alma, invisível, quase imperceptível. Também aquela angústia pronunciaria *sim* diante do belo anel comprado em Veneza.

Estavam passeando pelos jardins da casa e tinham os braços dados. Como primos de segundo grau que nunca foram amantes ou como aqueles que o são em segredo. Clarice estava sentada num banco diante do pequeno lago oval cujo chafariz se encontrava temporariamente mudo. Suas costas recurvadas desenhavam um arco perfeito dentro do velho suéter de lã cor de vinho. Ela olhava para os próprios pés.

Não havia e nunca haveria afinidades entre ela e João Miguel. Ainda assim ele devia ir lhe falar, claro, e sacar alguma frase de seu manual de etiqueta e pronunciá-la com voz de pêsames. Foi o que fez e ambos desobrigaram-se de atitudes ou palavras ulteriores. Depois o olhar dela e o olhar de Maria Inês se cruzaram no ar como pontos de um bordado, temerosos. João Miguel não viu.

João Miguel não supôs, João Miguel não desconfiou, não imaginou.

A manhã de inverno era de um azul tímido. Não havia nuvens no céu, mas os pedaços de sol que dançavam no chão eram fracos, fazia frio. Na véspera, durante a madrugada, o termômetro que Ilton Xavier colocava do lado de fora da janela registrara quatro graus. Os dedos magros e pálidos de Maria Inês gostavam do contato do pulôver de João Miguel.

Nós vamos dar uma volta, ela avisou a Clarice. Você também vem?

Ela fez que não com um quase sorriso. E ficou brincando de girar a aliança no dedo emagrecido pelo frio.

Maria Inês e João Miguel deixaram o jardim pelo pequeno portão lateral onde só passava uma pessoa por vez. Desceram os cinco degraus de cimento até o caminhozinho sinuoso envolvido por moitas de capim-cidreira que levava à estrada principal. Sempre o mesmo chão de terra que perigava sujar os belos sapatos italianos de João Miguel — envernizados, brilhantes, refletindo a luz do dia.

Você agora voltou para ficar, ela disse em tom afirmativo, como se não quisesse supor dúvida alguma.

É, voltei, ele respondeu.

Não falaram sobre aquela tarde à beira de um lago cor de melado, desde a qual quase um ano se passara.

Tanta coisa tem acontecido, João Miguel disse, vago, e Maria Inês concordou sem que ele pudesse saber o quanto lhe custava ter de concordar.

Passaram pela tosca casinha de madeira suspensa do chão por quatro estacas, onde latões de leite vazios esperavam ser trocados, na manhã seguinte, por latões de leite cheios que o caminhão da cooperativa viria buscar. Vacas de tetas inchadas ruminavam no pasto e se aqueciam sob o sol.

Estavam imóveis, exceto pelas caudas que afugentavam mutucas e moscas-varejeiras.

Os insetos do inverno eram os carrapatos. João Miguel sabia que o pasto estava cheio deles. Que o capim fervilhava com suas vidas pequenas e impiedosas.

Um menino de uns dez anos passou por eles, usando galochas pretas, short e um suéter muito velho de lã azul-clara desfiado na barra e remendado com lã de outra cor. O nariz escorria e ele limpava com a manga do suéter. O braço direito levava uma enxada apoiada no ombro. Ele passou, cumprimentou.

Dia.

Dia, Maria Inês respondeu. E depois lembrou ao primo, sorridente, agora você sabe falar bem o italiano.

É. Sei sim.

Acho tão bonito.

Maria Inês e João Miguel viram um anu--branco levantar voo de dentro de uma moita. Seguiram-no dois, três, cinco pássaros. O anu sempre estava em bando.

O italiano bonito falado por um italiano bonito na cidade mais bonita do mundo. Veneza. Anos mais tarde.

Voltaram para casa um pouco antes da hora do almoço e encontraram Clarice na cozinha, ajudando a sogra e as empregadas. Ralando coco para o quindim. Estavam todas semiemudecidas, como se palavras de qualquer espécie pudessem dessacralizar aquele duplo luto, a mãe e o pai das duas moças em um intervalo de menos de um ano, coitadinhas.

Menos de um ano seria também o tempo de que Clarice precisaria para que os acontecimentos fermentassem dentro dela. E virassem vinho, vinagre, ou simplesmente uma mistura apodrecida comum que ninguém perceberia, como ninguém de fato acabou percebendo. Em fevereiro do ano seguinte ela faria vinte e sete anos e quase ninguém de fato perceberia — ainda a mesma moça dócil recatada submissa educada polida discreta adorável. Chegaria a hora em que ela não suportaria mais e racharia como uma represa defeituosa construída com material de segunda. Descascaria como reboco de parede. E iria embora, abandonando Ilton Xavier e aquela parte de si mesma até então ainda disposta a tentar sobreviver.

Naquele agosto enlutado, porém, ainda estava dócil recatada submissa educada polida discreta adorável. Não bebia e não cheirava pó. Apenas ralava coco para o quindim. Um gato preto de face e peito brancos estava sentado ao lado do fogão a lenha e lambia a pata direita. Mais tarde naquele mesmo dia ela chamou sua irmã e fez o pedido: Maria Inês, talvez você possa resolver para mim o inventário. Você e o João Miguel, afinal ele é advogado.

Claro, claro que sim, Maria Inês respondeu.

Afinal, o João Miguel era advogado. E acabava de pedi-la em casamento com um fabuloso anel comprado em Veneza.

Não foi Maria Inês quem comunicou a Tomás a morte de Afonso Olímpio, mas a tia-avó Berenice, entre soluços que lhe sacudiam as bochechas e a gordura fofa da papada. Ele apanhou um ônibus e foi até Friburgo e lá apanhou outro ônibus que o levou até Jabuticabais depois de fazer escalas em uma dezena de rodoviárias de cidades pequenas que também não estavam no mapa. Em Jabuticabais ele tomou um táxi à paisana que o levou até a fazenda. E durante o trajeto na estrada de terra imaginou que estava cumprindo um paralelo daquele dia em que fizera amor com Maria Inês pela primeira vez. Estava ingressando por caminhos desconhecidos. Estava tentando seduzir outro corpo, um duplo de Maria Inês, alguma coisa mais íntima do que pele e músculos. Alguma coisa mais pessoal e frágil e assustadora.

Os domínios dela. A alma dela.

Naquele instante foi tomado pelo mal-estar dos apaixonados não correspondidos, e ele poderia (deveria) ter mandado que o motorista desse meia-volta. Poderia (deveria) ter feito todo o percurso de volta a Jabuticabais e a Friburgo e por fim ao Rio de Janeiro e ao apartamento onde as telas o esperavam. Resolveu continuar.

Durante o velório conheceu Clarice. Ela estava sentada sozinha no último dos degraus que subiam da rua principal de Jabuticabais (a única calçada com paralelepípedos) até a porta da igreja. Lá dentro, na capela, uma pequena multidão cercava o caixão com o corpo de Afonso Olímpio.

O caixão estava fechado. Não se via nada. Nem as mãos amarrotadas. Nem o rosto sem expressão, nem o crânio rachado que já não sangrava, nem os membros fraturados. As pessoas eram obrigadas a acreditar que havia um defunto ali dentro. E que o defunto *era* Afonso Olímpio.

Os pais de Ilton Xavier, solidários, deram dinheiro à polícia para que o corpo não tivesse de passar por uma autópsia. Que não tivesse de ser enviado a Friburgo, ou talvez mesmo ao Rio de Janeiro. Mas isso era segredo. Um assunto *proibido*.

Quando Tomás viu Clarice pela primeira vez, ela estava sentada no chão, naquele degrau de escada diante da igreja. Usava um vestido de velha. Inteiramente preto. E sapatos pretos de fivela sem meias. O cabelo preto estava preso num coque com grampos pretos. O rosto dela, ao contrário, estava mortalmente pálido — de uma palidez não uniforme que compunha sombras aqui e ali, quase como leves hematomas. Não usava óculos escuros, e por isso Tomás pôde ver seus olhos.

Estavam secos.

Como estavam também os olhos de Maria Inês: secos. Estranhamente secos, mais secos que os olhos das pessoas quando estão secos. E a ausência de lágrimas pesava naqueles olhos marejados de falta, marejados de silêncio.

Maria Inês se aproximava da irmã quando percebeu Tomás subindo a escada, e apenas disse você aqui, num tom que não era de alívio ou de reprovação ou de censura ou de agradecimento. Um tom de falta e silêncio e olhos secos. Ela apanhou a mão de Clarice, mas Clarice continuou sentada e só ergueu o rosto para ver quem chegava.

Sua tia-avó me avisou, explicou Tomás.

Durante um instante os três se entreolharam e perceberam muitas dúvidas naquele curto entreolhar. Só haveriam de se reencontrar assim, os três juntos, duas décadas depois (enquanto Eduarda dormia no quarto e sonhava um sonho em que soava *Miss Misery*, enquanto João Miguel dormia em sua poltrona de classe executiva a dez mil metros do chão).

Uma garça passou sobre eles, num voo baixo de asas largas e lentas. Depois uma chuva finíssima que mais parecia feita de poeira que de gotas d'água chegou vinda de todos os lados.

Esta é a Clarice, minha irmã, Maria Inês disse. A voz baixa, rouca, voz de contralto. Clarice, este é o Tomás, de quem lhe falei.

Entraram.

A capela cheirava a rosas. O odor era maciço, presente, e deixava o ar difícil de respirar. Algum parente lia uma oração e logo depois um outro começou um discurso emocionado louvando qualidades de Afonso Olímpio. Bom marido, pai dedicado, o homem disse.

Enterraram Afonso Olímpio junto com Otacília e mais tarde decoraram a lápide com um retrato oval dos dois juntos.

Quando eu morrer, me enterra longe daqui, Maria Inês disse a Tomás. Mas ele não teve nem mesmo a momentânea ilusão de que ela planejava para eles uma vida em comum — casamento, filhos, envelhecer juntos, essas coisas. Eram só palavras secas como olhos secos de falta e silêncio.

Tomás estava começando a ter uma ideia mais realista das coisas.

Uma mulher que ele amava desesperadamente, dolorosamente. A recíproca impossível, sem nenhum motivo racional ao qual ele pudesse se aferrar — Maria Inês, talvez você não me ame o suficiente por a, b e c. Mas por d, e, f e g você *deveria* me amar.

Ele retornou ao Rio naquela mesma tarde. Ofereceram-lhe pousada, mas não pensava em ficar. Estava tristonho, amargurado, decepcionado. E um pouco assustado também.

Ao voltar para o apartamento da tia-avó Berenice, artdéco, no bairro do Flamengo, bem perto do mar, Maria Inês estava usando um anel de noivado. E procurou por Tomás para contar. Cheia de me-desculpes. Cheia de eu-sinto-muitos.

Ele se sentia pequeno. E disse eu estava imaginando que isso ia acontecer. Depois acrescentou, porém, com um pouco de autocomiseração: houve momentos em que eu de fato acreditei que você gostasse de mim.

Ela não retrucou. Falou algumas coisas vazias e apressadas. Chorou um pouquinho. Disse que o destino era uma coisa imponderável. Explicou que conhecia João Miguel desde menina — mas assegurou a Tomás que ele, sim, havia sido o primeiro homem dela. Ele comentou amargo que, pelo visto, aquele dado não tinha tanta importância assim. Ela foi até o banheiro assoar o nariz e ele foi junto e ficou apoiado na porta, de braços cruzados, olhando.

Isso tudo tem alguma coisa a ver com a morte dos seus pais?, ele perguntou.

Não, ela mentiu.

Quer dizer então que você gosta desse primo.

Gosto.

Ama.

Amo.

Se identifica com ele.

Talvez não em tudo.

Eu e você nos identificamos em muitas coisas.

Olha, Tomás, eu e você nos conhecemos bem o suficiente para que eu adivinhe que as coisas não dariam certo, ela falou, e ele achou que aquela era uma afirmação oca. Uma bobagem.

A verdade era que Tomás estava começando a se enamorar um pouco daquele sofrimento, único desfecho possível para uma paixão que era, como a sua, absoluta. Uma paixão de subir montanhas para contemplar a finitude do mundo que não abarcava, não poderia abarcar, a infinitude de um simples contato: as pontas de seus dedos, a pele crispada de Maria Inês. Uma paixão de construir poesias que se adivinhavam em tudo, nos ônibus sujos, no lixo transbordando de um cesto, no grupo que jogava futebol. Aquela paixão única a que todo ser humano tem direito em sua juventude e que está fadada ao naufrágio.

Uma paixão muito jovem. Que dividiu a existência de Tomás em duas metades, em dois hemisférios. Em dois períodos: um *a.M.I.* e um *d.M.I.*

Enquanto ela dizia bobagens para tentar explicar aquela realidade tão simples, ele deixou que os pensamentos voassem e imaginou como seria, por exemplo, a noite seguinte. Definitivamente sem Maria Inês. Depois de cinco anos. Uma primeira noite em que ele não encontraria alternativa a embriagar-se. E talvez telefonar para os pais — ou, melhor ainda (pior ainda), para alguma amiga disponível. Algum colega seu havia proferido aquela máxima rude e irônica: para curar um amor platônico, nada melhor que uma trepada homérica. Tomás sorriu por dentro ao pensar nisso. Seu coração relaxou um pouco. E ele aceitou.

Alinhavaram a conversa com umas falsas preocupações triviais. Ela disse desejo sucesso para você na sua carreira. E ele disse espero que você seja feliz — o lugar-comum mais lugar-comum que conseguiu encontrar em seu estoque. Depois ela acrescentou, com cara de vamos-ser-sempre-amigos: me convida para a sua exposição, está bem? E ele disse que estava bem, imitando-a, um pouco debochado: e você me convida para a sua formatura, está bem?

A formatura em que ela iria usar um anel de esmeralda legítima. Assim como usava agora aquele fabuloso anel comprado em Veneza por seu primo de segundo grau e futuro marido (na alegria e na tristeza, na saúde e na doença) João Miguel.

Maria Inês pediu um copo d'água e acompanhou Tomás até a cozinha. Bebeu pouco, nem a metade. E ficou algum tempo com o copo na mão direita, na altura do rosto, estudando os moranguinhos vermelhos pintados no vidro. Esse gesto deixou-a um pouco vesga e Tomás percebeu-o com um carinho insuportável. Uma dor tão intensa lhe agarrou o coração que ele imaginou que podia estar tendo um infarto. Descobriu que amava Maria Inês um pouco como a uma filha. E teve medo de que ela levantasse voo e se perdesse.

Quando voltavam para a sala, ela aproveitou a proximidade da porta e parou e disse olha, eu já vou indo, então.

Tomás ficou imóvel. Ela mesma abriu a porta. Andou três passos até o elevador. Apertou o botão. Viu os números luminosos acenderem, 1, 2, 3, 4, 5, no painel recentemente polido. Dourado brilhante cheirando a Brasso. Imaginou o porteiro com a flanelinha amarela trabalhando ali, trepado numa escada. Depois olhou para Tomás, que ainda estava imóvel, e abriu a porta do elevador (o puxador também estava dourado brilhante cheirando a Brasso) e foi embora, despedindo-se com um sorriso artificial demais. Um sorriso de chiclete tutti-frutti.

Tomás continuou imóvel durante algum tempo. Mais de um minuto, mais de dois minutos. Olhando para o hall vazio e vendo os números luminosos acenderem e carregarem Maria Inês para longe. Para o mundo. Para o mar aberto. 5, 4, 3, 2, 1. Em contagem regressiva.

Maria Inês foi embora, mas não definitivamente. Voltou três meses depois, e continuou voltando ao longo dos dois anos seguintes. Uma Maria Inês clandestina que mais tarde haveria de se culpar e acreditar que o belo Paolo em Veneza era somente uma espécie de troco. A senhora Maria Inês Azzopardi.

Que ainda se parecia com um certo quadro de Whistler, apesar de tudo.

O casamento foi em dezembro, depois de um noivado tão curto que durou quase apenas o suficiente para o envio dos belos convites. Nomes em alto-relevo. E aquele anguloso *in memoriam* inscrito sob os nomes dos pais dela e também sob o nome da mãe dele. O *vecchio* Azzopardi era o único sobrevivente, na verdade o único com o direito de estar convidando para alguma coisa. Sabendo disso, e sabendo de quem se tratava, os convidados responderam com presentes caros. E com suas presenças maciças.

Maria Inês e João Miguel. No outeiro da Glória. Ela não tinha nada da noiva carnavalesca de Clarice. Da noite para o dia se tornara uma mulher séria. Seu vestido era corretíssimo, assim como toda a cerimônia e a recepção que se seguiu. Ninguém cantou a *Ave-Maria* de Gounod, mas um clarinetista tocou, acompanhado pelo órgão, o adágio do concerto de Mozart. Todos os presentes acharam aquilo comovente e algum deles contou que aquela era uma das obras-primas do compositor.

Para ajudá-los naquele começo de vida, o *vecchio* Azzopardi lhes deu de presente o apartamento. Não ainda no Alto Leblon, mas em Laranjeiras, rua General Glicério, diante de uma família respeitável de árvores. Três quartos: um para o casal, outro para os futuros filhos e outro para as filhas futuras. Deu também as passagens aéreas para Nova York, onde havia um quarto de hotel no Upper East Side reservado para eles por uma semana. E deu um punhado de dólares para que gastassem por lá, nos musicais, nas peças de teatro, nos restaurantes, nas lojas da Fifth Avenue. Depois fechou as comportas, porque achava que facilitar demais as coisas para os jovens poderia estragá-los. Amolecer a porção deles que precisava se alimentar no motor das dificuldades e da luta. E avisou a João Miguel que o escritório estaria esperando por ele duas semanas depois do casamento. *Due settimane. Non dimenticare.*

A garota de Whistler voltou para Tomás durante uma tarde úmida que deixava as mãos e os pés descalços dele frios e pegajosos. Havia agora uma aliança na mão esquerda de Maria Inês. E também um relógio novo.

Ela havia definitivamente abandonado sua personagem anterior. Agora dirigia um apartamento na rua General Glicério. E dirigia um carro. Naquela tarde em que ela voltou, Tomás teve um primeiro impulso de mandá-la embora. De trancar-se fora dela como uma espécie de caixa-forte às avessas.

Foi então, porém, que ela falou.

Durante uma hora ininterrupta ela falou e contou uma história que começava num dia longínquo em que sementinhas de cipreste haviam caído de suas mãos. O dia em que ela deixara de ser criança, por conta daquilo que havia visto.

Seu pai. Sua irmã.

E Maria Inês prosseguiu com a história e depois de ouvi-la também Tomás nunca mais foi o mesmo. Mas acolheu Maria Inês e recolheu-a entre seus braços e gravou seu triste amor incompleto nela. Mais uma vez.

O fio de Ariadne

Para a desilusão daquele lado de Clarice que gostava de depreciar um pouco a imagem de Maria Inês, e que o fazia na proporção exata da sofisticação das posses materiais dela, o carro que chegou rolando num sussurro manhã adentro não tinha as adiposidades de um importado. Era um carro de classe média. De um verde metalizado que refletia o sol. Mas Clarice pensou, implacável sem desejar sê-lo, o marido dela deve ter outro. Um utilitário, claro. Ou então um daqueles jipes imensos que os jogadores de futebol, os galãs de novela e os cantores de pagode sempre compram quando ficam ricos.

Tantos anos, e ela a pensar em carros. Clarice envergonhou-se e foi receber a irmã e a sobrinha com abraços que tentavam ser páginas em branco. Abraços alvos, lisos, virgens.

Trocaram palavras protocolares justamente porque são essas que costumam aflorar nos momentos em que a sinceridade corre o risco de ficar piegas demais. Ou sincera demais. Como foram de viagem? Bem, obrigada, puxa, isto aqui está tão diferente, as árvores cresceram. Você está ótima. Obrigada, você também. Quanto tempo. É mesmo. Nossa, como a Eduarda cresceu. Não querem entrar? Trazer as malas? Vou chamar a Fátima, ela está louca para ver vocês duas.

Maria Inês parou por um instante na varanda, tomando fôlego para entrar na casa. No piso de cimento vermelho havia uma pequena rachadura que corria angulosa como um rio desde a parede externa até a grama do jardim. No vão da rachadura pequenas plantas cresciam. Com um, dois centímetros de altura. Um bosque em miniatura para as aranhas e formigas. Ela não se voltou para Clarice ao dizer encontramos o Tomás na estrada. Empenhou-se em fazer aquela frase parecer casual e ficou olhando ao redor, as mãos apoiadas na cintura, depois acrescentou, com aquela frivolidade que tantas vezes lhe funcionava como estratégia de defesa, é incrível como os homens envelhecem bem melhor do que nós.

Eduarda estava agachada e acariciava um pequeno poodle, cuja cor de caramelo não se podia afirmar que fosse original ou simplesmente o resultado de anos de sujeira impregnados no pelo.

Fátima apareceu à porta, enxugando as mãos na blusa (Boston, Massachusetts), e ficou saltitando ao redor de Maria Inês e Eduarda como se fosse ela própria também um cachorrinho. Abraçou Eduarda longamente, e disse meu Deus, a última vez que vi esta menina. Que idade você tinha, minha filha? Uns oito anos? Nove? Entra, minha gente, faz favor! Deixa eu levar as malas de vocês.

Tinha assado um bolo mármore e coado um café fresco e feito uma jarra de suco de pitanga, que foi arrumar sobre a mesa.

Parecia incrível que ainda estivesse tudo lá. A poltrona reclinável cor de mostarda. A lareira e os tocos de lenha diante dela, o atiçador de ferro pendurado numa base de ferro. O mesmo tapete e, na parede, o mesmo retrato de Otacília vestida de noiva. A presença de Clarice ali durante todos aqueles anos quase não pesara. Apenas uma pequena marca era divisível: aquele livro sobre a mesa baixa: Thomas Mann, *Morte em Veneza.*

Maria Inês fez uma rápida associação de ideias e pronunciou em voz alta o nome *Morte em Veneza* enquanto pensava no livro que não havia lido mas que conhecia através do filme do Visconti, e lembrava-se da Piazza San Marco cheia de pombos e de um *negozio* que vendia cartões-postais e de um belo Paolo. *Sentado-em-pé.*

Estou tentando ler, Clarice falou. Mas minha cabeça não anda grande coisa em termos de concentração. Você já leu?

Maria Inês disse que não. E ficou olhando ao redor, mas os fantasmas não estavam mais ali. Tudo igual, tudo distinto. A casa parecia-se com aquela sensação que ela própria, Maria Inês, experimentava depois de uma crise de enxaqueca: um alívio vazio, a ausência demasiada da dor. Uma sensação ruim que vai embora e arrasta consigo sensações boas e deixa um rombo em seu lugar.

Melhor assim, ela pensou. Antes assim.

Observou que o movimento de fato cessara, na alma daquele lugar. Reconheceu que o cessar do movimento vinha a ser a empresa mais difícil, porque não coincidia com a simples *ausência* do movimento. E pesou aquela palavra, movimento: pesou com uma das mãos, pesou com a outra. As conclusões que tirou, se porventura tirou alguma, guardou consigo.

Ela e a filha foram para os quartos. Maria Inês ficaria naquele que, em outros tempos, havia sido o quarto de hóspedes. Eduarda, naquele que, em outros tempos, havia sido o quarto de Maria Inês (e onde às vezes Clarice ia terminar de atravessar suas noites, assustada). Tudo igual, tudo distinto.

Borboletas ainda sobrevoavam a pedreira. Mas já não havia ninguém para decretá-la *proibida*. A Fazenda dos Ipês fora vendida três anos antes e esquartejada em quatro propriedades menores: o Sítio dos Amigos, o Sítio Boa Viagem, o Sítio Repouso da Vovó e um certo Sítio Terceiro Milênio, que vinha a ser um centro de estudos de tudo o que se conseguisse colocar sob o rótulo de Medicina Alternativa. Se resolvesse subir até a pedreira naquele exato instante, Maria Inês veria não mais fantasmas se contorcendo dentro de uma casa abandonada, mas um pessoal de branco queimando incenso e entoando mantras que não entendiam sobre a grama bem-cuidada do jardim.

Ela não pretendia, porém, subir até a pedreira. Não ainda. Deixou sua bolsa de viagem sobre a cama coberta com a colcha de patchwork que Otacília fizera tantos anos antes, antes mesmo de adoecer, e lançou um olhar furtivo pela janela, como se tivesse medo do que poderia encontrar lá. Não encontrou nada além do jardim crescido, já adulto. Precisando talvez de alguns reparos, algumas podas, alguma reciclagem. Havia ali três plátanos bastante altos ao pé dos quais alguém fizera pequenos montes de folhas secas.

Depois foi ao banheiro, que era o único para os quatro quartos. Ali não havia suítes com banheiros brancos recheados com jardins ornamentais e tubos azuis Lancôme. Era uma casa de fazenda sem riquezas, nem muito grande, nem muito pequena. Nem muito velha, nem muito nova. Maria Inês se olhou no espelho e apanhou o tubo de rímel e o lápis *kohl* na bolsa e retocou os olhos. Depois leu *Eye definer. Crayon kohl. Net wt. 1.15g. Shade: rich dark brown.* Lavou as mãos com um sabonete verde em formato de coração que tinha cheiro de sabonete de motel (graças a Bernardo Águas, ela conhecia bastante bem o cheiro de sabonetes de motel).

Quando voltou à sala, sua irmã e sua filha já estavam sentadas à mesa e bebiam suco. Eduarda estava de costas, na cadeira que antes Afonso Olímpio costumava ocupar. Maria Inês olhou para Clarice e adivinhou que Clarice adivinhava seu olhar. Nos punhos dela as cicatrizes eram visíveis e ela já não usava o disfarce das pulseiras. Maria Inês sentiu alguma coisa mais ou menos como um soluço no coração, mas depois pensou que talvez tudo tivesse valido a pena.

Porque, afinal, Clarice sobrevivera.

Ela se sentou à mesa também e colocou um pouco de café na xícara. Sabia que o café estava doce demais, mas não tinha importância.

Lá fora, um homem de olhos transparentes estava passando o tempo a andar na estrada empoeirada.

Lá fora, havia novos pássaros cantando antigas melodias.

Esquecer. Profundamente. Deixar que aquela aliança cauterizasse a memória. Clarice brincava com a aliança de casamento em cujo interior se lia o nome *Ilton Xavier*. As janelas estavam fechadas porque aquela era a hora em que os mosquitos começavam a invadir a casa. Era preciso cuidar para que o sono fosse tranquilo, mais tarde. Sem mosquitos, sem pensamentos, sem memória.

Em algumas semanas iam começar a colher o milho. Clarice sorriu, a aliança estava rodopiando entre a superfície da penteadeira e a polpa de seu dedo indicador como se fosse um pião. *Roda pião, bambeia pião.* Seu marido e os pais dele haviam ido à igreja.

Não vou, me desculpem, estou com muita dor de cabeça.

Adorável Clarice. Compreensível, perdoável.

Eu te amo porque você não tem segredos, disse Ilton Xavier uma vez, e Clarice não sorriu.

Esquecer. Profundamente. Aquela tarde em que Maria Inês deixou cair todas as sementinhas de cipreste, suas preciosas sementinhas de cipreste, pelo corredor da casa. Aquele grito não pronunciado que fazia o estômago se contorcer de dor, de piedade e de ódio.

Esquecer. Profundamente. Tudo aquilo que bailava numa ciranda confusa em sua memória, os cinco longos anos no Rio de Janeiro, em casa da tia-avó Berenice, e aqueles amigos de infância e aquela menina chamada Lina, as cartas para Ilton Xavier, o casamento com Ilton Xavier e a noite de núpcias em que o corpo dela e o corpo dele estavam inflamados por motivos distintos. E as garrafas de bebida que vieram depois, tão finos licores, tão amigáveis aguardentes, vinhos, uísque. Anestésicos, agradáveis como um vento de final de tarde e como os silvestres espíritos noturnos.

Foi pouco depois do seu aniversário, em fevereiro. Durante o primeiro verão após a morte do pai.

Clarice entrou em seu quarto e foi conferir no espelho da penteadeira o quanto havia mudado. Não conseguiu descobrir. Depois lembrou-se de Lina e seu lenço de rosas vermelhas desbotadas sujo de lama.

Ilton Xavier não estava. Os pais dele também não. Clarice tinha acabado de tomar o café da manhã sozinha à imensa mesa de jacarandá construída pelos escravos um século antes. E perambulara durante algum tempo pelo casarão, esbarrando aqui e ali com a empregada que varria o chão de longas tábuas corridas.

Seu quarto ainda não havia sido arrumado e as janelas altas continuavam fechadas. Clarice não acendeu as luzes, não abriu as janelas. Viu seu rosto cheio de sombras refletido no espelho da penteadeira. Tirou a aliança do anular e passou-a ao dedo médio. Ao indicador, onde ela cabia apertada. Ao polegar, onde ela só cabia até a metade. Depois deixou-a sobre a penteadeira, entre um frasco de água-de-colônia e um potinho de pó de arroz.

Estava na hora. Clarice abriu o armário e escolheu algumas roupas. Poucas. Podia ouvir a voz de Otacília dizendo uma mala só. Apanhou algum dinheiro, também, sem contar quanto. Seus sapatos faziam um barulho ritmado sobre o chão de longas tábuas corridas. Ela foi até a cômoda sobre a qual havia uma garrafa escura. Ilton Xavier bebera uma ou duas doses daquilo, na noite anterior, enquanto lia um livro de Georges Simenon. A delicada taça de cristal, tão fina, tão quebrável, ainda guardava um pequeno círculo cor de café com leite no fundo. Ela apanhou a garrafa e leu, *Irish Cream*. Pôs um pouco na taça, bebeu.

Antes de sair do quarto, pegou a aliança sobre a penteadeira e colocou no bolso da blusa. Passou no banheiro e levantou a tampa do vaso e se ajoelhou no chão e vomitou enquanto seus olhos vomitavam lágrimas que ela não queria, lágrimas que não eram por Ilton Xavier nem por seu casamento que agora chegava ao fim. Nem pelos filhos que ela não tivera. Nem por Lina.

Depois saiu. A empregada a viu passar levando uma pequena mala. Ficou olhando e depois foi correndo para a cozinha contar às outras. Enquanto isso, Clarice interceptou um empregado no jardim, e pediu Duílio, me faz um favor, prepara a charrete e me leva até Jabuticabais.

Duílio foi e Clarice não disse nada durante todo o trajeto e ao chegar à cidade dispensou-o com uma gorjeta e um aperto de mãos. Vai, Duílio, eu sei que você ainda tem muito trabalho para fazer.

E a senhora volta como?

Depois eu pego um táxi, ela mentiu.

Clarice nunca voltou.

A cidade estava cheirando a sol. Já eram dez horas. Ela caminhou até a rodoviária carregando a mala e sentindo o suor umedecer-lhe as têmporas e a nuca. Comprou passagem para o ônibus que sairia às onze e meia com destino a Friburgo. Depois foi até a praça arborizada e sentou-se num dos bancos pintados de verde que circundavam o coreto. Para esperar.

Para esperar. E olhar para as próprias mãos com repugnância, depois com pena, depois com amor. Ela não conseguia sair de si mesma para compreender de outra forma a história. Era a um tempo testemunha, vítima e algoz.

Era Clarice que nunca deveria ter nascido. Que estragara uma família e agora estava estragando outra.

Claro, porém, que essa era apenas uma das muitas maneiras de encarar as coisas.

O ônibus sacolejou bastante durante o trajeto e Clarice quis vomitar de novo e, como não havia banheiro, teve de usar um saco plástico. O passageiro sentado na poltrona da frente virou-se e lançou-lhe um olhar de desaprovação, como se ela tivesse a obrigação moral de conter também aquele espasmo involuntário a qualquer custo, como tudo mais. Ela limpou a boca com um lenço que trazia na bolsa, branco, de cambraia de linho, com suas iniciais bordadas: presente de Ilton Xavier.

Já não sabia que horas eram quando desceu em Friburgo. Não pensava em almoçar, mas tinha sede. Entrou numa padaria e pediu uma garrafa de água mineral gasosa. Bebeu, mas continuou a se sentir deserta. E tonta. E tão apartada de tudo como se fosse um fantasma. Por um momento teve a impressão de que se tocasse no vidro do balcão sua mão poderia atravessá-lo. Não atravessou. Nesse instante um fazendeiro da região de Jabuticabais entrou na padaria, viu Clarice, foi cumprimentá-la.

Boa tarde, dona Clarice. A senhora está sozinha?

Com algum esforço ela fez que sim com a cabeça e fabricou um sorriso e deu a ele uma explicação razoável, dizendo vim fazer compras.

Ele riu e disse então fez bem em vir sozinha, a minha mulher diz que nessas horas os maridos só atrapalham.

Depois beijou-lhe a mão, boas compras, lembranças ao esposo e aos sogros.

Ela ficou olhando o homem sair, seu estômago se contraiu mais uma vez. No instante seguinte, como se aquela cena estivesse sendo regida por um cineasta meticuloso, uma voz soou por trás de seus ombros. Eu conheço você, disse a voz, e Clarice se virou para ver quem falava, uma mulher de seus trinta anos. Uma mulher que devia ter sido bonita, mas que agora retinha a beleza como um segredo por trás de olheiras fundas, de uma magreza espantosa, de umas roupas mal-ajustadas.

Eu te conheço, ela repetiu, e depois tragou sem pressa o cigarro, soltou a fumaça e bebeu um gole de refrigerante. Você é a filha de Afonso Olímpio e Otacília. Da fazenda Santo Antônio.

Clarice ficou olhando a garrafa de refrigerante e pensando no slogan: *Quem bebe Grapette repete.* Quis dizer qualquer coisa, mas só conseguiu pronunciar um suspiro. Sua cabeça havia começado a doer.

Você está com uma cara péssima, disse a outra. E não se lembra de mim, é claro.

Quem bebe Grapette repete.

Ela chegou mais perto.

Sou Lindaflor, com certeza você se lembra da fazenda dos Ipês e do que aconteceu lá em 62. Nossa, você está verde, menina! Toma um gole de refrigerante.

Clarice disse não, obrigada, eu cheguei de ônibus agora há pouco e estou meio enjoada. Me desculpe por não te reconhecer, acho que quando nos encontramos eu era muito pequena.

Eu também era, mas você não mudou nada. Continua com cara de criança. Ei, me desculpe, isso não é uma ofensa, acho legal. Nós duas devemos ter mais ou menos a mesma idade, e olha só para mim. Acabada. Você tinha uma irmã mais nova.

Está morando no Rio. Casou há dois meses.

E você casou também.

Casei, sim. Mas estou me separando hoje.

Nossa, então por isso essa cara, Lindaflor concluiu, equivocada. Onde você vai ficar, aqui em Friburgo?

Não sei onde vou ficar. Preciso achar um hotel barato. Uma pensão, talvez.

Quem bebe Grapette repete.

E por que você não vai para o Rio, ficar com sua irmã?

Não. Não gosto do marido dela. E ele não gosta de mim. E, de qualquer modo, estou precisando ficar um pouco longe dela também.

Seus pais?

Morreram. Ele o ano passado. Ela há dois anos.

Estou te entendendo. Mudar um pouco de ares, não é? Escuta, eu conheço uma pensão boazinha. Fica na minha rua. Quer que eu te leve lá?

Lindaflor não esperou pela resposta e tirou da bolsa umas notas amassadas para pagar pelo Grapette e sorriu para Clarice um sorriso meigo e cansado.

Naquele exato momento Clarice inaugurava uma curva descendente, mais ou menos como numa montanha-russa, que iria levá-la até o inferno. E até a redenção precisa e afiada de dois cortes gêmeos feitos com faca Olfa — a faca Olfa encontrada sobre uma certa mesa de madeira muito velha em que alguém escrevera com caneta esferográfica azul: *Ronaldo ama Viviane.* Onde também havia um pedaço de pão velho e duro sobre um prato de plástico e um cinzeiro de vidro em formato de folha transbordando de pontas de cigarro. E uma revista pornográfica cuja capa exibia uma loura peituda de lábios entreabertos usando botas de couro e montada sobre uma Harley-Davidson.

* * *

Clarice só mandou notícias para Ilton Xavier uma semana depois de tê-lo deixado. Não escreveu no sofisticado papel que tinha suas iniciais porque não o havia levado consigo. As frases lhe saíram de uma caneta esferográfica comum e foram sendo despejadas sobre um bloco barato de papelaria em folhas que ela depois dobrou em três e lacrou dentro de um envelope aéreo. Comprido, com bordas verde-amarelas. Uma carta para Ilton Xavier e uma carta quase idêntica para Maria Inês.

Disse que queria ficar sozinha, por isso não ia mandar o endereço. Mas estava bem. Tinha uns assuntos pessoais sobre os quais precisava refletir muito.

Maria Inês sabia que assuntos eram esses, Ilton Xavier não. Ele acreditou, com seu imaginário não muito amplo, que se tratava de algum outro homem e ficou furioso, separou tudo o que Clarice deixara e encheu duas caixas e despachou para a casa de Maria Inês no Rio de Janeiro. Mais tarde, ele compreendeu e perdoou, até porque isso fazia parte da sua natureza. E se casou novamente e teve uma porção de filhos e foi feliz e até comprou a picape vermelha dos seus sonhos.

Clarice ficou amiga de Lindaflor, que a apresentou por sua vez aos muitos amigos que tinha em Friburgo e nos arredores. Ficaram hospedadas durante algum tempo na casa de um deles em Lumiar, onde fumavam maconha o dia inteiro e de vez em quando procuravam uns cogumelos para fazer chá. Disseram a Clarice que aqueles eram apenas os meios para ingressar em outros--níveis-de-consciência (Como nos livros do Carlos Castaneda. *Viagem a Ixtlan*, saca?). Mais tarde ela descobriu também que a cocaína servia para deixá--la intensa e para que o mundo brilhasse. E que o álcool era anestésico.

Todas essas coisas, porém, custavam dinheiro. Então ela foi arrumando uns empregos que duravam pouco, primeiro como recepcionista de um curso de inglês, depois como vendedora numa sapataria, depois como auxiliar de cozinha num restaurante alemão onde aprendeu a preparar *Wurtz mit Kartoffelsalat und Rotkohl*. Num dado momento, começou a ficar caro viver em quarto de pensão. Passou cinco meses morando com Lindaflor em Friburgo. Depois se mudou para Cordeiro, onde tinham uma amiga que estava precisando de alguém para tomar conta da filha. Ficou quase um ano lá. Em seguida foi parar em Niterói, depois voltou para Friburgo e andou tentando vender esculturas em Teresópolis.

Até que, finalmente, perdeu a noção de tudo. Do tempo, do espaço, de seu próprio corpo. Encontrou um homem que a levou consigo para um quarto escuro de pensão num subúrbio do Rio. Tanto fazia onde estivessem. Ele comprava uísque para Clarice e sempre tinham cocaína. Às vezes ele sumia por três ou quatro dias, mas sempre voltava. Uma vez levou-lhe de presente um gato, mas o gato acabou fugindo. Talvez porque não lhe dessem comida suficiente. Então, certo dia, Clarice encontrou a faca Olfa.

E ficou feliz como não havia sido ao longo dos últimos quinze, vinte anos. Agora, sim, seria possível.

Esquecer.

Profundamente.

Tinha trinta e oito anos. E já não havia mais janelas-a-fechar-por-causa-dos-mosquitos. Ela não sabia ao certo onde estava, mas aquele sujeito em pé diante da porta era uma espécie de protetor que se metia em seu corpo (ela mal sentia) e lhe trazia o essencial: bebida e cocaína. Aquela aliança (*Roda pião*) já havia sido vendida, rendera um dinheiro razoável, era ouro de boa qualidade.

Ilton Xavier e os pais dele deviam estar na igreja. Ela não sabia. Tanto fazia.

O tempo havia passado, era verdade, mas agora Clarice tinha a impressão de ter perdido as referências: o labirinto sem o fio de Ariadne. Um amplo túnel escuro. Um aquário redondo para um peixinho vermelho. Era verdade que ela já não *pensava* tanto, no sentido em que as drogas e o álcool deixavam seu cérebro aveludado, isso era bom, mas também era verdade que a mesma dor ainda doía, abissal e amplificada.

Nos anos que antecederam 1500, as naus portuguesas andavam vasculhando o Atlântico, Clarice lembrava-se de alguma aula de história embora não recordasse o rosto do professor. Imaginou quase com carinho as velas imensas todas içadas, e ela própria se achava como uma nau, ou uma caravela — agora estava no meio do oceano, havia terríveis tempestades e calmarias desoladoras, fome, sede e doença, nada a fazer a não ser rezar, mas Clarice não tinha vontade de rezar porque estava muito, muito cansada. Para onde olhasse havia somente o mar, o oceano imenso.

Uma pontada de dor no estômago e uma tragada no cigarro.

O homem tirou a roupa de Clarice e ela mal sentiu. O quarto escuro. As mãos dele em suas ancas emagrecidas de ossos pontudos que saltavam agressivamente dentro das calças jeans. Depois de meia hora o homem saiu, disse que ia comprar um pouco de comida. Clarice tinha um sorriso plástico nos lábios que não lhe pertencia, era como se tivesse roubado o sorriso de alguém e agora o exibisse, como um par de brincos ou uma bolsa. Aquele sorriso idiota ficou lá, pendurado em seu rosto, mesmo quando já não era necessário.

O homem sai.

Ela tem trinta e oito anos.

As coisas não deram certo, que pena. E no epicentro de tudo. Clarice sabe o que está no epicentro de tudo. Estudou, cresceu, fez muitas esculturas e alguns amigos, casou-se, até aprendeu a bordar em ponto de cruz, para quê.

Alguém tem um canário em algum apartamento próximo e o bichinho parece que vai cantar até arrebentar. Desesperado, canta para atrair a fêmea que nunca virá porque as fêmeas de canário não costumam ir se aninhar com machos engaiolados. Mesmo que uma delas voe distraída pelos arredores, o que é bastante improvável. Uma mulher de voz forte cantarola enquanto lava pratos em alguma cozinha. Clarice ouve os pratos batendo uns nos outros. Depois uma criança choraminga e a mulher de voz forte xinga um palavrão. E o canário continua cantando.

Profundamente.

A faca Olfa está sobre a mesa de madeira muito velha em que alguém escreveu com caneta esferográfica azul: *Ronaldo ama Viviane.* Também há ali um pedaço de pão velho e duro sobre um prato de plástico. Um cinzeiro de vidro em formato de folha transbordando de pontas de cigarro. E uma revista pornográfica cuja capa exibe uma loura peituda de lábios entreabertos usando botas de couro até os joelhos e montada sobre uma Harley-Davidson. No teto um ventilador gira as pás com preguiça, nem chega a agitar o ar que cheira a mofo e a tabaco.

Há uma banheira de louça branca (encardida) no banheiro porque sempre há uma banheira nessas ocasiões.

Clarice rodopia sobre si mesma.

Quando a lâmina afiada lacera a carne de seu punho e encontra uns vasos escuros e os rompe com facilidade, Clarice finalmente pode sorrir um sorriso seu. Porque agora não sente mais dor alguma. Está livre como o imortal que readquire a bênção da mortalidade e o sangue que vai maculando a água da banheira é o elemento de uma comunhão muito pessoal.

Ela cerra os olhos com calma. Está quase feliz.

Sobre a mesa, bem em cima da revista pornográfica, vem pousar uma mosca, e passeia entre os peitos da loura peituda, sobre as rodas da Harley-Davidson, depois vai comer umas migalhas de pão.

O anel de esmeralda era um absurdo de bonito. Chegou aconchegado dentro de uma caixinha forrada de veludo azul-escuro, de maneira parecida àquela com que o anel de noivado havia chegado, apenas três anos antes.

Maria Inês estava tão bem-vestida para a formatura. De vermelho. Uma cor que combinava com a palidez da pele e a sombra escura e densa dos cabelos. Uma *Sinfonia em Vermelho*. Quando caminhou para receber o diploma, os dois homens da sua vida observavam-na e tentavam antecipar o futuro, sem sucesso. Nos braços de sua babá, uma

Eduarda sonolenta de um ano e poucos meses de idade brincava com a fita cor-de-rosa que amarrava sua chupeta ao vestido. Tomás estava suficientemente perto para ver a menina. A meia-calça branca e os sapatinhos brancos de verniz, um laço de fita em cada um. Os cabelos de cachos claros e delicados presos com um arco branco. E o vestido de princesa, cor-de-rosa. Sobre uma cadeira estavam a boneca de pano dela e uma bolsa grande onde deviam estar fraldas e mamadeiras. A babá oscilava o corpo gentilmente como uma cadeira de balanço e os olhos de Eduarda foram se fechando, viraram dois fiozinhos de atenção, depois se renderam ao sono.

Seus olhos transparentes.

Ao lado dela estava João Miguel, que até então Tomás nunca encontrara pessoalmente. O primo de segundo grau e marido de sua amante. Ou talvez as coisas devessem ser colocadas numa outra hierarquia. A pequena Eduarda deu um suspiro profundo que Tomás não pôde ouvir mas que adivinhou pelo movimento do peito dela, um pequeno arco, para cima, para baixo. Enquanto isso a mãe dela, a doutora Maria Inês, segurava seu diploma enrolado como um canudo com a mão onde cintilava sua esplêndida esmeralda. Legítima.

Tomás notou mais uma vez, com um carinho tão dolorido, que o ventre dela ficara um pouquinho protuberante depois da gravidez. Aquilo deixava seu corpo mais bonito. Mais real. Infelizmente, mais real. Os quadris também estavam mais largos sob o vestido.

Oito anos. Era o quanto durava aquele delírio. Apenas porque certa vez ele decidira compará-la a um quadro de Whistler e fazer desenhos dela e chamá-la da janela de seu apartamento. Uma menina. Que agora estava casada e tinha uma filha e um diploma e um anel de esmeralda legítima.

Tomás desistiu de tentar antecipar o futuro. O futuro era hoje. Ontem, talvez. O futuro estava atrasado, ou, melhor dizendo, Tomás estava atrasado para o futuro. Porque *o tempo é imóvel, mas as criaturas passam.* Consultou o relógio, sete horas e doze minutos. E Maria Inês bonita com aquele corpo de mãe deixando-a mais bonita em seu vestido vermelho. O marido dela na plateia, de terno azul-marinho. A filha dela na plateia, uma princesa cor-de-rosa adormecida nos braços da babá.

Então Tomás soube que aquela história estava morta. Às sete horas e doze minutos. Vislumbrou mentalmente um homem ainda jovem que durante oito anos se dedicara à ilusão de uma mulher. Olhou para aquele homem chamado Tomás e olhou para a mulher com quem ele continuava a se encontrar mesmo depois do casamento dela e olhou para a menina adormecida no colo da babá. Uma princesa cor-de-rosa. Uma rainha vermelha. E ele, um príncipe-sapo.

Sentiu-se mal. Alguma coisa agarrou seu estômago e ele achou que fosse vomitar ali mesmo, entre os alinhados convidados da festa dos formandos em medicina. Entre os canudos e as esmeraldas legítimas e as muitas esmeraldas falsas. Entre os novos doutores, cintilantes de orgulho, e suas engravatadas famílias. Levantou-se de sua poltrona e se espremeu entre alguns pares de joelhos e alcançou o corredor que levava para fora do auditório. O corredor estava coberto com um tapete vermelho — um tapete vermelho para uma rainha vermelha. Tomás sentiu os olhos dela em suas costas, cravados como uma faca, e doíam. Achou que devia se virar e fazer uma reverência. Mais ou menos como o sinal da cruz ao deixar uma igreja. Não se virou e não voltou a ver Maria Inês em seu corpo bonito de mãe e a pequena Eduarda com a cabeça apoiada no ombro da babá. Saiu andando muito rápido e achando que não ia conseguir conter os espasmos do estômago e que ia vomitar no instante seguinte.

E foi tudo. Maria Inês viu a grande porta do auditório se abrir e se fechar e ouviu o barulho da cidade a engolir Tomás. Ele a estava abandonando, anos depois de ter sido abandonado por ela.

Treze anos e catorze verões

Era uma vez uma borboleta que rasgava o ar fresco da montanha com seu voo sutil e bailava sobre uma pedreira proibida onde lagartos cinzentos aqueciam-se ao sol. No trajeto rotineiro de seu voo ela podia ver, de um lado, uma fazenda abandonada e uma casa com plantas crescendo no telhado. Do outro lado, uma fazenda viva com animais no pasto que pareciam de brinquedo e um rio que era como uma longa estria dourada.

Na margem daquele rio estavam quatro crianças. A mais velha se chamava Lina e ainda não corria perigo. Ainda nem ganhara de presente aquele lenço usado com rosas vermelhas desbotadas e seu cabelo brilhava sob o sol. Pequenas gotas d'água ficavam entre as mechas desgrenhadas como se fossem diamantes. Bonita, Lina. Mergulhando na água com um maiô amarelo-ovo que alguém refugara por já ter saído de moda e que ficava um pouco grande para ela. Com Lina estavam seus três amigos, Clarice, Casimiro, Damião.

Brincavam de transformar folhas secas em barquinhos cuja tripulação era constituída por pequenos homens feitos de palitos de fósforo. A vida, naquele momento, era de uma felicidade atroz. De uma felicidade severa que depois ia cobrar juros e correção monetária.

Aquele momento da vida de Clarice chamava-se *antes de tudo*. Ela não teria podido adivinhar. Nem nos seus piores pesadelos. E, no entanto, tudo já estava tão tênue, frágil como um dente mole ou como um fio de teia de aranha.

A água do rio chegava até a cintura de Clarice. Sob o maiô preto seus seios haviam crescido e eram como duas peras pequenas, frescas, maduras. Era verão e naquele verão ela estava completando treze anos. Treze verões. Pensou nisso e disse em voz alta: na verdade, se eu nasci durante o verão, então estou completando treze anos e *catorze* verões. As outras crianças não entenderam a sua matemática, olharam-na durante um instante e voltaram a brincar. Depois reuniram-se todos na margem do rio e juntaram um punhado de argila e Clarice fez uma escultura. Já passava das cinco horas e o céu se metamorfoseava num azul-cobalto escuro quando foram embora.

Amanhã tem mais, Clarice falou.

Ela vestiu o saiote e a blusa sobre o maiô. Calçou as sandálias. Chegou em casa esvoaçante como a borboleta esvoaçante que esvoaçava sobre aquela pedreira e assistia a tudo mas nada adivinhava. O pai estava sentado na sala, sobre uma poltrona cor de mostarda. A mãe estava na cidade, fazendo compras. Levara consigo uma empregada para ajudar. Maria Inês estava em algum lugar (talvez no alto da pedreira proibida, cheia de carrapatos e com um sorriso de triunfo?) brincando com aquele primo João Miguel com quem Clarice não simpatizava — e que não simpatizava com Clarice. Ela entrou em casa pela cozinha porque estava meio molhada e não queria fazer um estrago no assoalho da sala. Clarice dócil recatada submissa educada polida discreta adorável.

Apanhou roupas limpas. Uma blusa de *laise* branca com forro de algodão da mesma cor. Uma calcinha amarela com rendas brancas nas beiradas. Uma bermuda de tergal azul-clara que era um pouquinho quente mas que Clarice adorava, sobretudo por causa daquelas flores bordadas perto do cós. E suas sandálias de tirinhas de couro.

Uma borboleta voava sobre a pedreira.

Naquela tarde, ele veio. Um homem adulto, maduro, inteiro.

Um homem. E uma menina que queria ser menina, apenas. Que não tinha a menor intenção de, anos depois, usar uma faca Olfa afiada sobre os próprios punhos. Que não se imaginava alcoólatra ou cocainômana, mas sim, talvez, uma professora de ciências. Ou uma artista — escultora, claro. Uma mulher bonita longilínea elegante mãe de três meninos e três meninas casada com um escritor bonito e famoso que fumasse cachimbo. Dona de três dálmatas, dois poodles e um basset. Saindo para fazer compras na cidade com sua irmã mais nova que seria uma bailarina famosa. Rindo. Bebendo chá. Viajando de avião.

Um homem. Entrou em seu quarto e sentou-a sobre o colo dele e ela não teve medo, a princípio, porque aquele homem era seu pai. Os dois riram. Conversaram um pouco. Ele lhe acariciava as mãos.

Ele lhe acariciava os braços. Os ombros. Os seios.

Clarice ficou imóvel como o coelho que pressente o predador. A águia voando baixo. Depois ela tentou se desvencilhar mas o abraço dele tinha força. E os lábios dele na base do seu pescoço aceleravam seu coração.

Ela sentiu vontade de vomitar mas o medo dominou até aquela vontade. A náusea ficou retida na boca do estômago até o dia ainda distante em que ela tomaria a decisão de abandonar seu marido e sacolejaria dentro de um ônibus desde Jabuticabais até Friburgo. Em que ela vomitaria dentro de um saco e receberia um olhar de reprovação do passageiro do banco da frente.

A mão de um homem sobre um seio alvíssimo. A pele virgem. O bico que ele rodava como se desse corda a um relógio. A mão de um homem sobre a barriga tão lisa de Clarice e aquela respiração que resfolegava odiosa e as calças dele onde um volume aparecia vindo não se sabia de onde. O fecho ecler que ele abriu com a mão direita enquanto a mão esquerda inflamada procurava alguma coisa entre as coxas dela. Os olhos fechados. Os olhos dela arregalados fixos como olhos de um cadáver — e eram um pouco olhos de um cadáver, de fato.

Clarice dócil recatada submissa educada polida discreta adorável.

Ele faria aquilo de novo. E de novo. E de novo. E de outras maneiras. Um dia ele chegaria a se deitar sobre ela e meter seu corpo de homem adulto dentro do corpo de menina dela enquanto ela sentiria um gosto de sangue porque estaria mordendo os próprios lábios com força. Com medo. Com ódio. As mãos dele agarrando suas coxas com tanta força que depois um hematoma surgiria ali. A língua dele molhando (maculando) o interior das suas orelhas e lambendo seus lábios descoloridos e vasculhando dentro da sua boca de forma a não deixar nenhum segredo de pé. Nenhum sonho de pé.

De novo e de novo e de novo. Até que Otacília resolvesse mandá-la para longe com suas duas malas dentro de um táxi. Tarde demais.

Quando Afonso Olímpio saiu de seu quarto, Clarice não chorou. Ela foi até o banheiro. Não vomitou. Tomou outro banho. Alguma coisa se quebrara dentro dela sem fazer ruído. Ela mesma se quebrara dentro dela: a alma dentro do corpo. A Clarice dentro da Clarice. Ela se sentia tão tênue que em uma lágrima poderia morrer, escoar, água dentro do ralo do chuveiro.

Um pouco depois veio a culpa. Claro. Naturalmente. Ela devia ter *feito alguma coisa* para que seu pai tivesse agido daquela maneira. Não que aquilo fosse um castigo, não, de jeito nenhum. Mas, talvez, apenas uma resposta? Como os olhares frios de Otacília deveriam também ser uma resposta? Necessariamente? Ela nunca encontraria uma explicação. E viveria para sempre marcada, como se cada investida do pai lhe tatuasse alguma coisa sobre a pele. Um número. Como um prisioneiro de campo de concentração e como os bois de um rebanho.

Otacília soube o que estava acontecendo em sua própria casa, em sua própria família, muito antes de tomar a atitude que tomou.

E ninguém pronunciou uma única palavra.

E Maria Inês fugiu derramando suas preciosas sementes de cipreste pelo corredor, no dia em que viu os dois no quarto. O homem. A menina. Seu pai. Sua irmã.

Clarice.

Dócil recatada submissa educada polida discreta.

Adorável.

Festa junina

Um olhar inflamado começou a ser gerado em Maria Inês naquele momento tão definitivo em que viu seu próprio pai despindo Clarice e dando corda no bico do seio dela como se fosse um relógio de pulso e enfiando o rosto dentro dos cabelos dela.

Maria Inês levava um tesouro em suas mãos, e o tesouro caiu por terra e se desfez. Nunca mais ela pôde acreditar no valor de um punhado de sementes de cipreste. Seus pensamentos viraram estratégia de guerra. Tão velozes. Insones. Camuflados, armados até os dentes e preparados para tudo. Maria Inês organizou como pôde a realidade dentro do pouco espaço de seus nove anos de idade. Abriu gavetas. Fechou gavetas. Jogou coisas velhas fora e coisas novas também porque mesmo sendo novas haviam deixado de se ajustar a ela. Da noite para o dia: como mágica. Como se acordasse pela manhã e seus pés tivessem virado número trinta e seis e ela tivesse de se desfazer de todos os seus sapatos, mesmo os mais bonitos, mesmo as sapatilhas de balé importadas e novinhas em folha. Ela abriu algumas portas e fechou outras e trancou cuidadosamente outras tantas. Lacrou janelas com pregos e pedaços de madeira, tapou vazios com fita isolante. E criou máscaras para si mesma, como se estivesse brincando de atriz. Mesmo as suas brincadeiras, porém, ficaram sérias. Brincadeiras sisudas de cenhos franzidos.

Nessa época, Maria Inês tinha apenas nove anos. Não dispunha de muitas atitudes ao seu alcance e sabia disso. Também ela calou as palavras que os outros já haviam concordado em calar. Porém, naquela época ainda gostava de desafiar os *proibidos.* Isso lhe insuflava vida. Maria Inês acalentou aquele olhar inflamado no núcleo da sua existência, como se fosse um filho gerado com muito cuidado e paciência.

Esperando.

Viu Clarice partir para o Rio de Janeiro a bordo de um táxi na manhã em que descobriram Lina num canto da estrada. E internamente pediu *por favor, sobreviva.*

Afonso Olímpio nunca chegou perto de Maria Inês. Fingia ignorá-la. Mas a verdade é que temia aquela segunda filha como ao próprio diabo. E talvez naqueles dias Maria Inês fosse mesmo o diabo. Deliberadamente — a melhor defesa consistindo, desde sempre, no ataque.

Clarice sobreviveu. Foi para o Rio de Janeiro, estudou um pouco. Voltou de lá diretamente para o altar da pequena igreja de Jabuticabais. Depois Otacília piorou de sua doença e morreu. Foi exatamente ao longo do ano que se seguiu que o olhar inflamado (diabólico) de Maria Inês amadureceu. Atingiu o ponto exato de ser servido, degustado, e vinha de uma safra selecionada. Especial. Uvas que haviam tido seu quinhão preciso de sol e chuva sobre um solo tão cuidadosamente adubado.

A missa de um ano em memória de Otacília ainda não havia sido celebrada. Estavam em junho. 1976. Pelo país afora também aconteciam coisas em surdina e naquele exato momento havia torturadores de certos presos políticos empenhados na tarefa de fazê-los confessar (qualquer coisa) ou enlouquecer. Ou, claro, uma opção fácil mas indesejável: morrer. Nas sessões de tortura havia em geral um médico que avaliava quanta porrada o preso podia levar, ou quantos eletrochoques, ou quantos afogamentos.

"Si ch'io vorrei morire", cantaria Bernardo Águas. Um madrigal de Monteverdi.

Na fazenda próxima a Jabuticabais não havia espaço para nada daquilo. Afonso Olímpio tornara-se um bêbado miserável trancafiado na prisão de si mesmo. Ouvindo vozes no silêncio e ouvindo silêncio nas vozes. Consciente, cem por cento consciente. Tão mais consciente quanto mais bêbado estivesse. Às vezes Clarice aparecia para visitá-lo, seu pai e inimigo, mas sempre em companhia do marido. Maria Inês não compreendia. Ela própria, Maria Inês, queria esquecê-lo por completo. Nunca mais vê-lo, nunca mais ter que olhar para aquelas mãos e casá-las com a recordação em brasa do dia em que as surpreendera sobre um seio pálido de menina. Ao mesmo tempo, sabia que ainda teria que se encontrar com ele. Pelo menos uma vez, uma última vez.

Talvez também Clarice soubesse e estivesse apenas ganhando tempo com as falsas visitas durante as quais Ilton Xavier sofria e depois das quais ele haveria de comentar: coitado do seu pai, tão deprimido depois da morte da dona Otacília.

Coitado do seu pai. Era o que dizia Ilton Xavier, o marido de Clarice. E depois se deitava sob os cobertores para ler Simenon. Ela alegava alguma dor de cabeça e ia gastar sua insônia por entre as artérias do casarão, perambulando pelas múltiplas salas-com-nomes, visitando a cozinha onde os gatos dormiam enroscados junto ao fogão extinto. Passava diante da porta do quarto dos pais de Ilton Xavier e ouvia o ronco do sogro e lembrava-se de que a sogra tapava os ouvidos com chumaços de algodão toda noite. Depois observava os pássaros adormecidos no imenso viveiro que ficava num pátio interno, embolados como se fossem também eles chumaços grandes de algodão.

* * *

Para a festa de São João, naquele ano, Clarice fez cocadas brancas e cocadas pretas e pés de moleque e canjica. Maria Inês veio do Rio porque as festas juninas eram as únicas de que ela realmente gostava: chapéus de palha com falsas tranças penduradas. Pintinhas feitas com lápis delineador sobre as bochechas. Bocas com dentes pintados de preto para sugerir falhas, outras bocas com falhas genuínas que paradoxalmente se tentavam disfarçar através de sorrisos contidos. Quem podia pagar por uma fantasia comparecia a caráter: calças remendadas e camisas xadrez com lenços amarrados no pescoço. Botinas. Vestidos coloridos de babados até os joelhos e meias por baixo. Quem não podia pagar por uma fantasia acabava, de qualquer forma, não destoando, com calças cujos remendos cobriam buracos genuínos. Com botinas que eram calçados de trabalho e de festa também e que se poupavam ao máximo. Com vestidos de chita florida que costumavam ser guardados para as missas de domingo (dentro de gavetas com sabonetes) e casacos de lã por cima, por causa do frio.

Havia também as brincadeiras, a dança da laranja, a dança das cadeiras. A pescaria. O correio do amor (que ali não funcionava muito bem porque a maioria não era alfabetizada). E o espírito bom daquelas bandeirolas coloridas presas em longas tiras de barbante abençoando tudo. Alguns homens bebendo em surdina caldo de feijão com cachaça. O milho verde, o curau, a paçoca.

A grande fogueira em torno da qual esquecia-se o frio da noite e sobre a qual mais tarde as crianças iriam brincar de saltar. Para ouvir dos mais velhos: quem brinca com fogo faz xixi na cama.

Nas festas juninas, Maria Inês sentia-se bem. Tão bem. Naquela noite, tomou sua irmã pelo braço e dançou com ela a quadrilha, dizendo já que você não está fantasiada, Clarice, vai fazer papel de homem.

Afonso Olímpio não foi à festa. E todos compreenderam que seu luto ainda não havia cedido. Tiveram muita pena dele, o viúvo Afonso Olímpio sozinho em casa. As pessoas tinham em geral muita pena de Afonso Olímpio e toleravam nele até mesmo o odioso vício do álcool, porque ele tinha cara e jeito de vítima, nunca de algoz. E diziam aquela filha que mora no Rio de Janeiro devia vir lhe fazer companhia. Ah, mas assim são os filhos, a gente cria, dá todo o amor e depois, nada. Uns mal-agradecidos.

A filha mal-agradecida pulou a fogueira com as crianças e sentiu a face queimar no frio da noite. Segurava a barra do vestido e deixava à mostra as meias brancas que iam até os joelhos. Os pés calçados com sapatos de verniz lançavam-na alto contra o céu escuro sem estrelas e as tranças balançavam no ar. Com a mão esquerda ela segurava o chapéu de palha firme na cabeça. Naquela noite Maria Inês estava muito feliz. E Clarice, à paisana, olhava-a, e o brilho alaranjado do fogo se refletia em sua face e em seus olhos. Era possível divisar duas pequenas fogueiras gêmeas bailando nos olhos de Clarice, enquanto nos olhos de Maria Inês as fogueiras queimavam por dentro. Não eram visíveis. Eram o seu segredo.

Quando o quintal da casa dos pais de Ilton Xavier finalmente adormeceu, extintas as últimas brasas da fogueira, já era madrugada. As empregadas recolhiam pratos de papel e copos de plástico espalhados aqui e ali. Ilton Xavier veio e, por via das dúvidas, levantou com os pés um pouco de terra do chão e arremessou para cima da fogueira morta. Para que ela ficasse bem morta. Depois caminhou até Clarice.

Você vem?

Daqui a pouco.

Ela olhou para sua irmã e Ilton Xavier entendeu que queriam estar um pouco sozinhas e, mesmo que já fosse bastante tarde e seu termômetro registrasse dez graus, não interferiu.

Maria Inês estava sentada um pouco adiante, sobre uma mureta de pedra, os sapatos de verniz sujos de poeira roçando de leve o chão. Clarice foi até ela e enquanto andava olhou para trás e viu o vulto da última empregada que se afastava na escuridão, lenço branco na cabeça, roupa toda branca, mais parecendo um fantasma. Havia corujas piando perto, e outros pássaros noturnos. Um grande salgueiro derramava seus galhos queixosos sobre o chão, e podia se ouvir a água correndo perto dali.

Clarice passou o braço pela cintura de Maria Inês, mas as duas não se olharam. As duas não se falaram. Ficaram ali imóveis e próximas, os lábios roxos de frio e as faces queimadas de frio, na noite sem estrelas. Olhando para o morro por trás do qual ficava a casa de sua infância, a casa de Otacília e de Afonso Olímpio. Onde as coisas aconteciam em surdina. Onde ele, o pai, estava sozinho e insone e bêbado, olhando na direção do morro por trás do qual suas filhas chamavam-no com o pensamento, como duas bruxas.

A missa negra aconteceu no dia seguinte. Maria Inês acordou tarde e com dor de cabeça, mas sorriu ao constatar que não havia feito xixi na cama. Ela ocupava o quarto de hóspedes, que ficava ao lado daquele ocupado por sua irmã e Ilton Xavier. Olhou para o próprio reflexo no espelho oval da penteadeira. Apanhou a escova e com a mesma mão apanhou a garrafa d'água e encheu meio copo. Depois tateou dentro de sua nécessaire em busca de um analgésico. Então parou diante do espelho e ficou escovando os cabelos sem pressa. Vestiu um roupão sobre o pijama de flanela e foi para a sala onde o café da manhã estaria posto. Esperando por ela.

Esperando.

O sogro de Clarice estava sentado à cabeceira da mesa, cem por cento confortável em seu papel de Grande Patriarca, com um bigode penteado e com botas de cano longo brilhantes. Deixara sobre a mesa, como quem deixaria as chaves do carro, o chicote de couro que usava no cavalo.

Acordou tarde, ele disse. Já fui até o curral e depois até Jabuticabais comprar querosene e voltei e agora estou no meu segundo café da manhã.

Ontem fomos dormir de madrugada. E eu acordei com dor de cabeça.

Quer um analgésico?

Já tomei um, obrigada.

Café é bom para dor de cabeça. Beba um pouco.

Os dois conversaram sobre qualquer coisa. Maria Inês notou que os lábios dele se mexiam pouco sob o farto bigode grisalho. Quando ouviu o relógio soar as dez horas, ele se levantou, ágil, atlético, dizendo agora você me dá licença, eu tenho um monte de coisas a fazer até a hora do almoço.

Mais tarde, Maria Inês enfim decidiu-se a procurar por aquela Clarice misteriosamente ausente da manhã. Encontrou a sogra dela na cozinha com as empregadas e perguntou a senhora por acaso viu a Clarice hoje?

Vi, sim. Disse que ia caminhar um pouco, dar uma volta. Saiu pela estrada. Acho que foi na direção da casa de seu pai.

Foi com Ilton Xavier?

Ele foi à Cooperativa. Clarice foi sozinha.

Maria Inês agradeceu e saiu. Estava calma. Atravessou o casarão de ponta a ponta ouvindo seus sapatos percutirem um ruído seco no assoalho de madeira. Chegou à porta da frente que estava aberta e desceu os cinco degraus que terminavam no jardim. Atravessou a aleia central e seguiu pelo caminhozinho que ia dar na estrada principal. Havia nuvens no céu, mas não a promessa de chuva. E virou à esquerda, no sentido que a conduziria até a porta de seu pai. Não pretendia ir exatamente até ali, porém. Tinha uma vaga ideia de onde encontrar Clarice.

Num local inédito. Numa pedreira proibida. Onde borboletas multicoloridas alçavam voos possíveis.

Contornou a casa de Afonso Olímpio cuidando para não ser vista. E subiu o morro com esforço, cruzando o pasto onde vacas meditativas ruminavam. Ficaria cheia de carrapatos. Não seria a primeira vez. Aquele era sem dúvida o preço a pagar por infringir uma lei, por desrespeitar uma proibição. Depois atravessou a mata onde uma trilha discreta se desenhava. Ela própria já havia passado por ali incontáveis vezes. Viu as mesmas árvores e aquele inesquecível tronco cheio de espinhos onde um dia se segurara inadvertidamente, com suas mãos pouco experientes. Agora ela conhecia as armadilhas e tinha faro para intuir as surpresas. Muitas raízes cruzavam a trilha, mas Maria Inês já não tropeçava nelas.

Quando chegou à pedreira, estava suando. Tirou o pulôver e amarrou-o com um nó na cintura e apertou os olhos porque a claridade grisalha da manhã a incomodava. Recortada contra o céu, a figura imóvel de Clarice parecia um bicho. Maria Inês quase acreditou que se fizesse movimentos bruscos poderia assustá-la e afugentá-la dali, uma Clarice ao mesmo tempo delicada e inteiramente selvagem. Quebrável. Grandiosa como um lobo. Cheia de armadilhas ao seu redor.

Clarice viu que sua irmã chegava, mas não fugiu. Também não pareceu surpresa.

Esta noite dormi muito mal, ela disse. Acordei cedo. Você ainda estava no quarto, eu te esperei algum tempo mas depois acabei resolvendo vir até aqui. Sabia que você ia acabar me encontrando.

A voz de Clarice ecoava entre as pedras e deslizava frágil até Maria Inês, que falou há muitos anos eu e o João Miguel plantamos umas moedas aqui. Para ver se nascia uma árvore de dinheiro.

Ela cutucou com o pé uma estreita faixa de terra entre duas pedras baixas.

Brotou?, Clarice perguntou, com carinho.

Nada, ainda. As sementes deviam estar ruins, Maria Inês disse, e sorriu.

Aproximou-se. Foi subindo as pedras com a intimidade de quem conhecia bem o terreno. Com a naturalidade de uma filha amada no colo de sua mãe. Ao lado de Clarice, uma borboleta multicolorida estava pousada e abria e fechava as asas em movimentos lentos, como se estivesse se espreguiçando. Lá embaixo, a Fazenda dos Ipês. Clarice comentou: tem um pasto sendo arado. Devem ter arrendado uma parte das terras.

Depois as duas se olharam, e Clarice fez a pergunta que havia adiado por treze anos, com palavras que soaram quase casuais, você viu, não foi? Aquele dia em que todas as sementes de cipreste que você costumava guardar apareceram espalhadas pelo chão do corredor.

Maria Inês fez que sim.

Acho que a nossa mãe sabia, disse Clarice.

E não fez nada a respeito.

Ela me mandou ir morar no Rio.

Tarde demais.

Talvez antes ela não pudesse.

Maria Inês suspirou e olhou ao redor. Ventava um pouco lá em cima e o suor começava a secar no rosto dela.

E agora?, perguntou.

E agora é isso que você está vendo. Ele vive bêbado, mas há muito tempo resolveu me deixar em paz. Até porque hoje eu sou adulta.

Mas aquilo que ele fez.

Aquilo que ele fez é uma outra companhia junto de mim o tempo todo. Uma sombra. Uma doença. Eu e o Ilton Xavier estamos bem. Estamos indo bem. Às vezes eu não sei, me parece que não vou conseguir aguentar. Mas a verdade é que aguentei todos esses anos.

O Ilton Xavier?

Não. Não o Ilton Xavier. Ele. O nosso pai. A lembrança dele feito soda cáustica, corroendo.

Maria Inês podia imaginar. Imaginar, apenas. O que não era muito. Havia, no entanto, um largo espectro de sentimentos compartilháveis. E algumas dores que latejavam apenas nela, Maria Inês. Como aquele olhar inflamado que contrastava tão ferozmente com a serenidade aparente de Clarice. E se tudo eram segredos, a verdade é que não os havia, de fato: segredos. Um observador imparcial poderia classificá-los como meras formalidades.

Talvez tenha sido, portanto, apenas uma formalidade que levou Afonso Olímpio até a pedreira naquela manhã insegura. Que guiou seus passos trêmulos e seu fôlego arruinado morro acima, através do pasto, através do mato.

Ele havia visto Maria Inês se aproximar e tomar o caminho que conduzia até o pasto. Imaginava aonde ela pretendia ir. E pela primeira vez resolveu segui-la, talvez porque agora precisasse mudar o rumo da história, mesmo tendo sido ele próprio a manejar o leme, tantos anos antes. Porque à noite o silêncio daquela casa morta-viva vinha se enfiar por seus ouvidos, por seus poros, por entre seus pensamentos. Com mil garras afiadas, com um milhão de dentes que mordiam. Um silêncio que era como falta afirmativa, como um membro decepado. As perguntas sem resposta e as respostas a perguntas inexistentes. O mundo que ele erigira para si e que agora regurgitava solidão.

Subir um morro alto como aquele não era tarefa muito simples para um homem da sua idade. Mas ele conclamou suas emoções todas e enfiou-as dentro do peito e foi até a pedreira, talvez com o intuito de pedir um perdão improvável. Agora que tinha medo.

Estava velho. Parecia vários anos mais velho do que na última ocasião em que Maria Inês o encontrara, no ano anterior. Apareceu por entre as árvores como uma ameaça velada, mas não ameaçava. Já não tinha poder para isso. Era um galho seco, um homem seco. Todo armado com um discurso desconexo em que pretendia pela primeira vez conjugar palavras cujo sentido talvez desconhecesse.

Suas filhas viram que ele chegava e não se moveram. Acompanharam-no com o olhar.

Ele parou a alguns metros delas, ao pé da pedreira. Quieto, porque as palavras não obedeceram quando tentou acessá-las na memória. A sua vida havia sido uma boa vida, mas no meio de tudo palpitava aquela relação ao avesso. Às vezes Afonso Olímpio sentia culpa, mas às vezes depositava a mesma culpa fora de si: em Clarice. Em Otacília, que calara. Em Maria Inês, que testemunhara.

Maria Inês sentiu a pele da nuca eriçar-se, como se ela fosse um gato, e perguntou com a voz forte para que ele pudesse ouvi-la de onde estava: o que houve? O que você veio fazer aqui?

Não fale assim com ele, Clarice censurou.

As distorções dela eram filhas das distorções dele. Claro.

Diante de Maria Inês e de Clarice, plantado no meio daquelas pedras como um fantasma, os cabelos ralos esvoaçando, Afonso Olímpio viu o rosto das coisas que ele poderia ter feito, mas não fizera. E também aquele sombrio das coisas que ele não deveria ter feito, mas fizera, ainda assim. Um homem carente da melhor parte de si mesmo, daquilo que agora pudesse sustentá-lo de pé.

Você acredita em inferno, pai?, Maria Inês perguntou.

Mais tarde, Clarice fez o que estava acostumada a fazer e não chorou. Não vomitou. Não adoeceu. Não enlouqueceu. Ficou durante toda a noite acordada no velório do pai revisitando pensamentos que pareciam quadros abstratos. Os presentes entendiam os olhos mortiços dela como olhos de luto, mas não eram.

Crime e castigo, ela pensou. Mas aquilo valia coisa nenhuma. Porque as vidas e os sentimentos que norteiam essas vidas não são matemática.

Que coisas estariam reservadas para ela própria? Para Maria Inês? Para seus pais? Como se chamava o inferno que vigia sobre a terra, à luz da razão dos homens? Nos corpos das moças violadas por seus próprios pais? Nos corpos torturados dos presos políticos? Nos corpinhos cheios de verminose e bernes e bichos-de-pé das crianças que trabalhavam a roça de sol a sol?

A religião parecia querer tudo assim: como matemática. Talvez nas esferas celestes isso se aplicasse, de fato. Era ver para crer — ou, antes, crer para ver.

Por isso, Clarice suportou. Não chorou, não vomitou. Não adoeceu. Não enlouqueceu. Suportou e continuou suportando. Até que um dia, naturalmente, rachou. Com um ruído seco, igualzinho àquele que seus passos faziam sobre o assoalho do casarão dos pais de Ilton Xavier.

A voz resoluta de Maria Inês soou como um estilhaço no alto da pedreira. Afonso Olímpio estava mudo. Ela repetiu a pergunta: Você acredita em inferno? Pode responder. Aqui em cima só estamos nós duas para ouvir as suas confissões. Foi isso que você veio fazer aqui? Confissões?

Ela havia começado. Aquela era sua missa negra, que ela não planejara mas pela qual aguardara tanto tempo. Olhos inflamados. Demoníacos. Maria Inês afrouxou as cordas que estavam tensas dentro dela desde quando tinha nove anos. Desde quando sua infância lhe fora arrancada com violência por uma visão que poderia, em outras circunstâncias, ter sido bela. Inúmeras vezes ela sonhara que aquela tarde não havia sido Clarice entre os braços dele, mas Otacília. Uma Otacília feliz. Ou outro homem qualquer com sua irmã. Outro homem: não seu próprio pai.

Por que você não vai embora encher a cara e nos deixa em paz?

Afonso Olímpio quis dizer tudo aquilo que nunca havia tido vontade de dizer, mas seus esforços eram tão inúteis. Deu um passo, dois passos. Ao lado de Clarice, a borboleta multicolorida abriu as asas e se lançou no abismo. Ela podia voar. Ver o pasto recém-arado da Fazenda dos Ipês. Ver o rio lá embaixo como uma pequena estria dourada.

O rosto do pai estava oco. Vazio do sentido daquele nome: pai. E seu coração estava cheio de ruínas. Ele era um refugo da história, agora.

Antes, quando o poder lhe pertencia, ele havia administrado a história de forma a ter duas inimigas em lugar de duas filhas. Afonso Olímpio sentiu-se abarrotado de vazios e teve a impressão de se afogar em si mesmo.

Aquele encontro não era, porém, um caso clássico de culpa-arrependimento-expiação. Nada tinha nomes e nada era definido. Porque, na verdade, nada mudara e nada mudaria e as coisas apenas trocavam de cores como folhas de uma árvore com a sucessão das estações.

Afonso Olímpio começou a subir a pedreira. Era difícil, extremamente difícil fazê-lo, porque, além da idade que amolecera seus ossos e músculos e que arruinara seu fôlego, ele havia bebido também naquela manhã, e antes, durante toda uma noite insone. Estava magro e tinha sulcos arroxeados profundos sob os olhos. Fora isso, era apenas um senhor simpático que inspirava pena e que vivera sua vida de forma quase correta — havia aquela pequena exceção, claro, pedra no meio do caminho.

Clarice adiantou-se. Dócil recatada submissa educada. Quase como se estivesse seguindo um impulso, um reflexo condicionado. Maria Inês sabia que ela ia tentar ajudá-lo. Obedecer, mais uma vez.

Deixa ele, Maria Inês falou.

Mas, Maria Inês, ele está...

Deixa.

Havia alguma coisa secreta trabalhando em Afonso Olímpio. Seu corpo produzia um suor frio e pegajoso. Medo. Maria Inês segurou sua irmã pela mão, Clarice tremia. Ele continuou subindo, apoiando-se nas pedras maiores com as mãos, ofegante. *O que diabos ele quer,* Maria Inês pensou, e não conseguiu encontrar resposta alguma. O que diabos ele queria.

E então, após minutos que duraram horas, ele chegou ao topo e olhou para suas duas filhas e estendeu a mão.

Aquilo não. Maria Inês pegou Clarice pela cintura e afastou-a com delicadeza. E Afonso Olímpio deixou o braço estendido no ar. E então Maria Inês se aproximou dele e disse eu devia ter levado ela para longe desde o começo, mas eu ainda era muito pequena. Agora você vai ver que eu sou grande e que me tornei bastante forte, pai.

Ela surpreendeu-se por ouvir-se dizendo aquela palavra, pai, que foi a última que disse a ele e a última que ele próprio ouviu. Depois, muito levemente, empurrou.

Um ruído mínimo, quase inaudível, soou dentro da alma de Clarice, e ela voltou o rosto na direção do céu e viu a imagem da borboleta multicolorida. Que alçava voos possíveis. Aquela visão ficou grudada em seus olhos secos como anteriormente os fluidos corporais de seu pai haviam ficado grudados em suas coxas a ponto de ela precisar removê-los com uma bucha.

A borboleta sobre a pedreira, sobre o abismo.

E um grito abortado na garganta.

E a mão direita de Maria Inês que segurava com força sua mão esquerda e a obrigava a ficar de pé.

A sobreviver.

Depois Maria Inês conduziu-a delicadamente entre as pedras, sustentando-a, afastando-a da lembrança dele. Protegendo-a. E os olhos de Maria Inês se acalmaram e nunca mais voltaram a se inflamar.

O silêncio zumbia nos ouvidos de Clarice, mas ela não olhou para trás. Ela nem mesmo sentiu a dor de seu pai, enquanto ele caía do alto da pedreira e seu corpo se desfazia lá embaixo, assustando os pássaros, os insetos, os fantasmas. Do outro lado. Onde não havia nada. Onde, na sede abandonada da Fazenda dos Ipês, fantasmas vagavam, caramujos redondos riscavam muito devagar as paredes adormecidas e plantas suculentas cresciam no telhado. Ela apenas seguiu, a despeito de si mesma, destituída de razão, como se fosse a sombra de seu próprio corpo. Como se fosse, naquele momento ao menos, uma pequena borboleta capaz de alçar voos sobre o mundo, sobre a vida, sobre a morte.

Durante aquela cena não havia lugar para música de fundo. Para nenhum ruído. Foi tudo tão rápido, a mão de Maria Inês sobre o peito dele, empurrando. E talvez os olhos dele dizendo está bem assim.

Não foi exatamente pena o que Clarice sentiu, mas um desajuste ligeiro, como se estivesse assistindo a um filme. E deixou-se levar por Maria Inês pedreira abaixo, morro abaixo, por entre o mato e o pasto onde os bois ruminavam e pequenos carrapatos esperavam.

A porta aberta

As coisas pareciam menos devastadoras depois de vistas de perto. Perdiam o sagrado, ficavam comuns, cotidianas. Reduziam aquela distância entre elas mesmas e a ideia delas.

Tomás não sabia aonde aquela porta aberta deveria conduzi-lo, mas tinha uma fé inabalável no livre-arbítrio — um ofício aprendido, um músculo exercitado. De modo que não se assustou. Ele conhecia seus próprios passos e compunha seus próprios caminhos da mesma forma como um arranjador escolhe acordes para uma determinada melodia e instrumentos para fazer soar esses acordes e músicos para tocar esses instrumentos. Ele conhecia seu próprio tamanho.

Então, aproximou-se da casa e encontrou as duas irmãs na varanda, as feições do rosto suavizadas pelo lusco-fusco que conferia a tudo uma certa textura de sonho. Aquele havia sido o dia mais breve da história, sucedendo sem lógica uma noite imensa, quase intragável. Tomás não sabia por quê.

Maria Inês disse, levantando-se para cumprimentá-lo, então todos nós acabamos nos encontrando aqui.

Cordial. Simpática.

Uma situação tão improvável, ele disse, olhando-a e recordando sem querer umas bijuterias da feira hippie que ela costumava usar vinte anos antes.

Talvez não tão improvável assim, ela disse.

Agora seu pescoço estava nu, sóbrio. Tomás sentiu um punho cerrado em seu peito. E depois sentiu o punho cerrado relaxando um pouco.

Clarice retribuiu o cumprimento de Tomás e permaneceu quieta. Observava.

Todas as coisas estavam desembocando naquele lugar naquele momento. Todos os anos vividos, todas as insuficiências desses anos e tudo o que neles havia sido em demasia. Todos os perigos, todas as promessas, todo o amor que amadurecera em indiferença e toda a estrutura que sobrevivera livre de ornamentos.

Maria Inês viu os olhos transparentes de Tomás que pareciam um milagre aceso no princípio da noite. Clarice também viu, era inevitável, porque brilhavam. Faróis. Vaga-lumes. Estrelas.

Maria Inês disse Eduarda foi dormir um pouco. Nós hoje acordamos cedo para viajar.

Em seguida Clarice levantou-se num gesto longo. Vou lá dentro resolver umas coisas, acho que vocês devem estar querendo conversar sozinhos. Depois desses anos todos.

Ela cruzou o olhar deles e depois cruzou a soleira da porta e entrou na casa onde a noite chegava mais rápido. Lá dentro não havia faróis nem vaga-lumes. Mas havia os olhos transparentes de uma moça chamada Eduarda, que estavam fechados e mergulhados no sono.

Clarice foi procurar o que fazer. Beber um copo d'água. Olhar a comida que Fátima, tão gentil, deixara pronta para o jantar. Lavar o rosto que o calor tornava oleoso e lavar as mãos. Olhar a si mesma no espelho e pacificar aquela consciência de que ela passava pela vida deixando muitas marcas e poucas sementes. Sair de casa pela porta dos fundos e tomar o caminho do curral e visitar aquelas esculturas velhas que estavam guardadas lá, no fundo de um armário, como num museu. Depois fechar o armário e deixá-las lá, suas antigas esculturas, até outro momento, esperando.

Deixando sua própria condição trancada num canto da alma, como num museu.

Esperando.

Que a noite chegasse inteira e depois se fosse e depois chegasse outra vez. Não havia mais nada a ser descoberto, nenhuma revelação? Clarice não se importava. Estava apenas esperando a própria espera, e criando esculturas porque na verdade tanto fazia criá-las ou não, o que já não era novidade.

Imaginou, porém, com uma curiosidade recém-nascida, que coisas Tomás e Maria Inês estariam dizendo um ao outro. Se estariam falando de trivialidades, trabalho idade aparência tempo viagens. Se estariam calados, dentro de um intenso constrangimento. Se estariam trocando delicadezas como preâmbulos — de quê? De sedução explícita? Se estariam secretamente cogitando retornar vinte anos no tempo (*o tempo é imóvel, mas as criaturas*) e retomar a história deles daquele dia exato em que se viram e se amaram pela última vez.

Aquele dia em que Maria Inês ficou grávida de sua filha, a Eduarda de olhos transparentes que dormia e sonhava um sonho em que soava aquela música — *Do you miss me, Miss Misery, like you say you do.*

Um morcego voou perto de Clarice, uma mancha rápida contra o céu que escurecia. Depois outro, e mais outro — ou seria o mesmo, multiplicado? Ela levantou os olhos e notou que as estrelas começavam a aparecer no céu. Aquele era um instante sempre tão especial. Apoiou-se na porteira do curral e ficou vendo as estrelas se multiplicarem devagar. Tão devagar.

Quando voltou para casa, não encontrou Maria Inês nem Tomás. Eduarda estava sozinha na sala, os cabelos molhados do banho recente e um perfume de alfazema espalhado pelo ar.

Achei que a minha mãe estava contigo, Eduarda disse.

Não. Ela está com Tomás.

Eduarda fez que sim com a cabeça e disse esse homem que ela veio encontrar aqui na fazenda, além de você.

É.

Aonde eles foram?

Não sei.

A gente janta ou espera por ela?

Você é quem sabe.

Então vamos esperar mais um pouco. Está bem?

Está.

Maria Inês só voltou muito mais tarde. Passava das onze. Não disse nada, também não se desculpou como uma menina por não ter chegado a tempo para o jantar. Foi até a cozinha esquentar qualquer coisa numa panela porque não havia micro-ondas ali. Clarice acompanhou-a sem perguntas (Clarice nunca faria perguntas sobre aquela noite) enquanto Eduarda ficou na sala com seu violão. Dedilhando acordes e cantando com sua voz fraca *Do you miss me, Miss Misery, like you say you do.*

A pedreira estava adormecida e as borboletas multicoloridas também.

Havia alguém insone, porém, não longe dali — um homem de olhos muito abertos e transparentes que fingia vigiar a noite com suas ideias.

* * *

Aquele caminhozinho já havia sido percorrido tantas vezes que Clarice certamente poderia andar ali de olhos vendados. Desde muito antes, desde a sua infância. Mesmo depois que tudo mudou aquele caminho permaneceu igual. Não engordou, não emagreceu, conservou com esmero sua integridade de chão. A terra passava por fases, ali: na época da chuva ganhava sulcos e pequenos lagos onde depois juntavam-se borboletas às dezenas. Na seca ficava endurecida e esfolada. Quase sempre estava suja de bosta de cavalo, às vezes também de cabra. Mas era sempre a mesma terra, o mesmo caminho.

De madrugada ficava mais bonito. Ficava mais manso, e podia fingir-se um pedacinho de chão da lua, com pedregulhos refletindo uma luz leitosa e surreal. Ao lado, no pasto, por trás da cerca de arame farpado, os bois dormiam. Quase tudo dormia. E Clarice andava por aquele caminhozinho que ia dar à porta de uma antiga casa de colonos. Mas não havia pressa.

Maria Inês e Eduarda haviam ficado, fechadas em seus respectivos quartos, silenciosas. Adormecidas ou não. Clarice acompanhara Maria Inês à mesa do jantar, e sorrira ao se dar conta de que afinal era bom tê-la de volta. E o relógio de pêndulo soou a meia-noite. Doze badaladas, e nenhum diabo amarelo apareceu e nenhuma Cinderela teve de fugir às pressas. E o relógio soou uma hora. E mais tarde ainda, depois que a casa adormeceu, Clarice saiu. Para a noite. Para procurar e encontrar uma porta aberta.

As luzes da casa dele estavam acesas. A antiga casa de colonos. As luzes estavam acesas e a porta aberta era como um farol no meio da noite. No meio do mundo.

Clarice parou na soleira da porta, sobre aquele tapete feito com retalhos de pano, e disse eu sabia que você ainda não estava dormindo.

Acho que nem vou dormir, Tomás falou.

Eu imagino.

Entra. Nós podemos fazer um chá. Eu tenho aqui uma latinha que o Cândido trouxe de viagem. Você quer?

Quero.

Foram para a cozinha e Clarice encheu de água a chaleira de alumínio meio amassada e comentou Maria Inês disse que as pessoas só deviam usar panelas de aço inoxidável. Ou de ferro, ou de barro. Porque o alumínio pode causar demência, sabe, Mal de Alzheimer, ao longo dos anos. Se acumula no cérebro, ou qualquer coisa assim. Você sabia?

Não, Tomás disse, mas de qualquer forma eu só tenho panelas de alumínio.

Apanhou a latinha bege de chá. Earl Grey. Já não conseguia ler sem óculos aquelas letrinhas mínimas que diziam *By appointment to Her Majesty Queen Elizabeth II. Tea and coffee merchants R. Twining & Co. Ltd. London.* Colocaram a água para ferver. Tomás não tinha apetrechos especiais para fazer chá, e então derramaram duas colherinhas do Earl Grey dentro da chaleira e depois coaram com uma peneira.

Chá inglês. Um mero acaso.

Ficaram algum tempo silenciosos, sentados no chão da varanda. Mesmo àquela hora fazia calor. Mesmo ali. Depois Tomás respondeu à pergunta que Clarice não fez.

Ela esteve aqui, você sabe. Mas não foi exatamente como eu imaginei que seria. Nós somos os responsáveis pelo papel que as pessoas assumem em nossa vida. E as pessoas mudam, embora o significado que um dia tiveram não mude. Isso é mais ou menos como lembrar de uma cidade que conhecemos há muitos anos e que não existe mais, foi destruída pela guerra ou por um terremoto. Não há como reverter essa lembrança, como atualizá-la.

Clarice ficou mexendo a xícara com a colherinha. E confessou: a princípio eu não gostei da ideia de que ela viria.

Eu também não. Mas o erro foi nosso, porque atribuímos a ela a responsabilidade sobre coisa demais.

E quanto a Eduarda?

Eu devia ter procurado por ela antes, é claro, mas as coisas nunca são assim, programadas como roteiro de cinema.

Os dois ficaram olhando para o morro que a noite tingira de preto. E Tomás reconheceu que havia sentido muito medo, e por quê. Medo do tamanho de Maria Inês. Como o alcoólatra que está abstêmio há anos e de repente, durante uma festa sofisticada, se vê cara a cara com um copo de uísque. Medo de si mesmo e de sua paixão. Porém, se essa paixão ainda era parte dele, de sua vida, o objeto dessa paixão só poderia existir no passado. De fato estava agora abandonando Maria Inês mais uma vez. Décadas depois de ter sido abandonado por ela.

Olhou para o rosto de Clarice, que refletia a luz vinda da sala. Um rosto aceso que era como um farol no meio da noite. E perguntou você se lembra quantos anos faz que eu moro aqui?

Não, ela respondeu.

Nem eu. Não me lembro.

Tomás colocou a mão suavemente no ombro de Clarice, sobre o vestido azul-escuro com flores azul-claras. Ela não sorria. Perto de onde estavam uma coruja piava. Sob o tecido, a pele de Clarice era um continente inteiramente novo. Tomás esperou e observou aquele pequeno infinito que constituía o braço dela indo tocar o seu braço, as suas costas. Não tão magras quanto outrora, aos vinte anos. Depois ela se aproximou e encostou a testa no rosto dele.

O Esquecimento Profundo não existia. Clarice sabia. Nunca fora capaz de esculpi-lo — de reivindicá-lo para si. Também não existia algo como uma lembrança inócua, uma ferida cauterizada. Um bicho sem as presas e sem os dentes, sendo, apenas. A pacificação do passado com tudo aquilo que ele comportava. Existia uma cidade na memória de Clarice, uma cidade destruída pela guerra ou por um terremoto. Agora, havia construções novas e o entulho já fora removido e os mortos, enterrados — porém, haveria como reverter aquela memória? Como atualizá-la?

Os seus lábios e os de Tomás não sabiam exatamente por onde começar e começaram então em si mesmos, lábios, boca, o hálito e as palavras e o sopro que era o princípio de tudo. E mariposas e outros insetos voavam em círculos imperfeitos ao redor da lâmpada nua, na sala.

Agora Clarice sente a respiração dele na nuca. Uma respiração engrossada e urgente mas, ao mesmo tempo, sem pressa. Agora ela segura a cabeça dele com as duas mãos, como se fosse uma escultura, e seus dedos puxam levemente os cabelos meio grisalhos. Muito levemente. E ajudam os lábios dele a encontrar o caminho de seu queixo. Da base de seu pescoço. Da costura do vestido. Agora Tomás segura levemente (muito levemente) os seios dela com as duas mãos, como se fossem uma escultura. Agora ela desabotoa a camisa que ele usa e descobre o peito magro — ainda que não tão magro quanto outrora, aos vinte anos. Agora ela vai beijá--lo ali, exatamente ali onde é possível sentir com os lábios o coração dele batendo. Rápido. Mais rápido. E agora ele desabotoa o vestido e vai contando os botões, 1, 2, 3, 4, 5, e depois suas mãos nas costas dela encontram o fecho do sutiã. Agora ela olha para o céu imenso e para as montanhas. E o ar estático da noite encontra a pele nua de seu peito e ele vai colocar seus lábios ali, onde ela não esteve esperando por ele, onde ela não esteve se preparando para ele.

Agora a mão dela encontra a superfície das calças dele. As coxas. Os quadris. E agora está de novo acariciando os cabelos grisalhos e ele descobriu o vale do ventre dela. Agora ela faz com que ele se levante e desce o zíper do jeans.

Agora ele ergue-a e faz com que ela se sente sobre o banco da varanda. Na ponta. Não se trata, porém, de um altar, mas de uma mulher, apenas. Ele afunda o rosto no pescoço dela, entre seus cabelos, e vê o lóbulo da orelha esquerda onde não brilha a delicadeza de um brinco.

Nada é fácil. De forma alguma. Porém, se é verdade que o tempo é imóvel (e apenas as criaturas passam), tudo o que pode importar está germinando no momento presente. Não com o intuito de florescer ou frutificar, mas tão somente para germinar. Para ser semente. Para dizer *agora* — o que, desse modo, vem ser apenas outra maneira de dizer: sempre.

A alma do mundo

É inverno na Europa. Na Itália. João Miguel pretende dar uma passada em Cortina d'Ampezzo para esquiar, e talvez resolva também dar uma passada em Veneza para reencontrar um belo Paolo, já não tão jovem, talvez até mais belo. Mas não: Maria Inês não sabe, não tem como saber que o ex-jovem Paolo está agora vivendo em Roma. Trabalhando em qualquer coisa séria. Talvez ele seja advogado e more num belo apartamento e tenha uma família — uma esposa que usa *gelée exfoliante* azul Lancôme.

Maria Inês dormiu poucas horas durante a noite e teve tempo de pensar no inverno italiano, de lembrar-se mais uma vez do Café Florian, e de esquecê-lo mais uma vez. De lembrar-se da época em que ela era um quadro de Whistler, quando morava com a tia-avó Berenice. E de lembrar-se depois da época discreta da morte da tia-avó: causas naturais. Um ano depois de Veneza e do Florian e do belo Paolo ainda jovem.

Teve tempo de se lembrar da clínica onde finalmente Clarice se internou (de *de-sin-to-ssi... de-sin-to-xi-ca-ção — ufa!*), anos depois dos cortes nos punhos e de várias tentativas malogradas de largar as drogas — pois mesmo após aquele pequeno gesto com a faca Olfa, que a levou para um leito de UTI (o homem com quem vivia encontrou-a a tempo), Clarice continuou com as drogas. Alguma coisa mudou nela, profundamente, mais profundamente do que o alcance dos dois cortes gêmeos, e ela abandonou aquele homem e outros possíveis e abandonou a cidade também, e outras possíveis, mas as drogas, ainda que intermitentemente, ficaram. Como um casamento onde não há mais amor, sexo, respeito ou mesmo amizade, mas que ainda parece justificar alianças e sobrenome comum. Chegavam a desaparecer da vida de Clarice por meses, depois retornavam. Ela própria acabou por tomar a decisão e escolheu aquela clínica — que tinha um pátio interno povoado com esculturas de mau gosto: dessas fabricadas em série e vendidas em beira de estrada. A um canto ficavam a Branca de Neve e os Sete Anões. Um pouco adiante, uma garça desconfortavelmente empertigada. Mais afastado, um sapo gigante, desagradável de olhar. Havia plantas bonitas, porém. O clima da serra costuma ser bondoso com as plantas. Havia até hortênsias em canteiros ondulados dos quais os próprios internos ajudavam a cuidar. Certa tarde, quando Maria Inês chegou à clínica para vê-la, Clarice estava sentada na extremidade de um banco de madeira recém-pintado de branco. Fazia frio e ela se enrolava toda numa manta de lã. Bebia chá — um chá de limão preparado pela enfermeira e servido em copo de plástico igual aos copos das festinhas infantis. Clarice ergueu um pouco o rosto e olhou na direção das montanhas e disse oi para a irmã e perguntou pela sobrinha e se iriam todos visitá-la na fazenda quando ela deixasse a clínica. Os cortes de seus punhos já estavam bem cicatrizados, já eram parte assimilada de sua anatomia, e Clarice sentia-se enfim como tendo cumprido alguma espécie de trajeto. De percurso. Acabou por se dar conta de que havia lentamente sobrevivido, de fato, a si mesma.

É inverno em Cortina d'Ampezzo e verão na fazenda onde Maria Inês se deita na cama do quarto de hóspedes e vê, através das janelas de venezianas azuis, a manhã ser criada aos poucos. *Fiat lux.* É ainda muito cedo quando ela finalmente se levanta e abre uma janela e faz aquilo que costumava fazer quando era criança para ir ao quintal sem ter de cumprir a burocrática travessia de um monte de portas e cômodos. Arruma algo em que firmar o pé, apoia-se no parapeito da janela com as duas mãos e se ergue. Senta-se no parapeito e gira o corpo e com um pulo atinge a estreita calçada de cimento que margeia o exterior da casa e que já está rachada em muitos pontos.

Durante a noite Maria Inês pôde fazer uma espécie de inventário de si mesma, enquanto ouvia o relógio de pêndulo da sala soar cada hora cheia. Pôde ter a quase-certeza de que não tornaria a sonhar com Bernardo Águas — aquele colega de faculdade que, findo o curso, abortada a carreira de médico em função da outra, internacional, de cantor (*Si ch'io vorrei morire*), certa vez lhe telefonou para pôr a conversa em dia e acabou se tornando seu amante — depois dos anéis de esmeralda. Depois de Veneza. Bem depois de Tomás. Aquele que a definia como uma estatística — um pino colorido num mapa-múndi. Seu falso refúgio. Seu maior lugar-comum.

Agora Maria Inês caminha com os pés descalços sobre a grama. Devagar. Há alguma presença delicada ali: a alma do mundo. *Anima mundi.* Caminha até a piscina de cimento que está dormente e vazia e em cujo fundo rachado crescem samambaias. Antigamente ela nadava aqui. Quando ainda era criança e precisava dar umas seis ou sete braçadas para atravessá-la. Nesta piscina ela aprendeu a abrir os olhos debaixo d'água e a mergulhar sem precisar tampar o nariz com o polegar e o indicador em forma de pinça. A dar cambalhotas debaixo d'água — de frente e, mais difícil, de costas. Olha para o fundo da piscina e para as folhas de samambaia que se desenrolam como futuros viáveis. Como futuros inviáveis também.

Ser é ter sido? Uma parte de Maria Inês é memória, a memória está viva em seu corpo e vibrando em todos os seus seis sentidos. A memória está nas fibras musculares de seu corpo.

No entanto, aquela viagem afinal não lhe reservava surpresas, apenas porque as surpresas se desenrolam dentro dela, como folhas de samambaia. De que forma é ainda atual para uma irmã e um amor antigo que andam à luz do dia naquela fazenda do seu passado? Como fantasmas que não têm consciência de sua condição?

Nada ultrapassa a verdade, porém. Por mais que sejam esculpidas mil e uma fantasias. Afinal de contas a vida parece matemática — com operações transversas onde números dão resultados improváveis, onde dividendos e divisores às vezes constituem uma subtração ou uma multiplicação. Matemática: Aquiles e a tartaruga. Ela pensa no milagre dos peixes. Depois se cansa das metáforas e lembra-se de um primo de segundo grau às margens de um lago cor de melado onde sapos-martelo martelam por toda parte e em cuja margem um grupo de patos reúne-se. Há libélulas zunindo sobre a superfície da água e o canto dos pássaros noturnos mistura-se ao de alguns pássaros diurnos tardios que provavelmente estão fazendo serão. Hora extra.

Maria Inês sabe que Clarice esteve fora boa parte da noite. Não é difícil adivinhar onde esteve, e em que companhia. Porém, imagina que não haja prognósticos. Para ela própria, Maria Inês, também não há. Na verdade, não há anos passados ou anos futuros a contabilizar. E nada de novo. Nada de novo. Não obstante, tudo é novo. *Fiat lux.*

Ela toma o caminho que contorna a piscina e passa perto de umas parreiras de chuchu. Clarice andou plantando chuchu. E aqueles tomatinhos que se comem inteiros e explodem festivos entre os dentes. Depois reencontra os eucaliptos que nasceram duas ou três décadas antes. Bromélias se multiplicaram. Plantas pequenas cresceram e plantas adultas morreram. No alto de um morro calvo há um tronco decepado e negro onde antes cresceu um enorme ipê.

Maria Inês vai seguindo a pequena trilha que acabará por desembocar na estrada principal. Não tem um destino específico em mente, está só andando, caminhando, um pé, depois o outro. Mais tarde voltará para casa, sim — para o café da manhã e tudo mais. Naquele momento, porém, não olha para trás, e enquanto anda pode sentir o sol ascendente no céu sobre seus ombros.

A manhã impregnada de sono descola-se da estrada sob a forma de poeira. Tudo é quieto, ou quase quieto, enquanto um homem de olhos muito abertos e transparentes finge vigiar a estrada com suas ideias. Na verdade, Tomás já tomou sua decisão. Mas espera, porque ainda é cedo e ele conhece bem aquele hábito tão caro à juventude de acordar por volta do meio-dia. Ele se lembra da sua juventude. Dos seus vinte anos e de suas manhãs ao meio-dia.

Espera. Acende um cigarro, fuma. Cumprimenta com a cabeça Jorgina, a cozinheira, quando ela chega para trabalhar, e ouve as galinhas-d'angola repisarem o seu bordão, *tô fraco, tô fraco*, e observa o cachorro a se coçar com a pata traseira.

Depois toma a estrada sem pressa e vai conhecer Eduarda, sua filha.

Eu aposto que a gente já deve ter engolido um monte de bichos de goiaba, Maria Inês falou, e olhou com seus olhos provocadores para a irmã. Já imaginou, Clarice? Um pedaço de bicho, uma cabeça, um rabo, aquela coisa molenga e branquela. Um *verme*!

Para, Maria Inês! Mas que coisa!

Maria Inês parou de falar e mordeu mais um pedaço da sua goiaba e ficou olhando para a distância. Para um cavaleiro que passava na estrada com seu chapéu de palha. A mãe delas estava em casa costurando. O pai delas havia ido até a cidade comprar uns remédios. Ainda eram apenas isso, naquela época: mãe, pai. Amigos potenciais.

O que foi isso na sua perna?, Clarice perguntou, indicando um arranhão na coxa magra de Maria Inês.

Machuquei ontem. Caí do balanço.

Você se balança muito alto.

Eu gosto.

Mas pode cair e se machucar.

Não faz mal. Eu não ligo.

Depois as duas meninas fizeram silêncio e ficaram observando o mundo do alto da goiabeira. Sem pressa, sem medo. Ainda não havia medo, ainda não havia monstros respirando pelos cantos da casa: somente o futuro — que brilhava de expectativas como brilhavam os olhos delas. Clarice pensou que ia fazer uma escultura para dar a Maria Inês no Natal. E Maria Inês ficou se perguntando se um punhado de sementinhas de cipreste seriam um bom presente para sua irmã, ou se ela já estaria um pouco crescida para aquelas coisas — Clarice já tinha onze anos, afinal. Depois qualquer coisa sombria atravessou seu coração e ela discretamente se aproximou da irmã e passou o braço pela cintura dela. A sombra foi embora, e Maria Inês voltou a sorrir, e disse, num ímpeto: eu gosto de você.

As duas olhavam para as montanhas e tentavam adivinhar o que haveria por trás delas. Olhavam para o futuro e tentavam adivinhar que coisas haveria — esperando por elas. Como bichos dentro de goiabas ou como presentes de Natal. Ingressos para a ópera, ou talvez cartas de amor? Sapatos de salto alto e batom, unhas compridas? Clarice pôs o braço em torno do ombro de Maria Inês, e imaginou como seria quando elas se encontrassem, já adultas. No Rio de Janeiro. Ou em Paris. Uma bailarina famosa e uma escultora famosa.

Com retratos dos filhos na bolsa, bem-vestidas e perfumadas. Imaginou com carinho que recordariam aquele dia em que comiam goiabas e Maria Inês dizia eu aposto que a gente já deve ter engolido um monte de vermes.

Clarice estava feliz. Era radiante, o futuro que antevia. Sabia que estava certa. Sorriu para Maria Inês e disse vamos embora, Lina combinou que viria brincar depois do almoço. Vamos.

E as duas desceram da goiabeira num pulo, e foram correndo para casa.

1ª EDIÇÃO [2001]
2ª EDIÇÃO [2013] 1 reimpressão

ESTA OBRA FOI COMPOSTA PELA ABREU'S SYSTEM EM ADOBE GARAMOND
E IMPRESSA EM OFSETE PELA LIS GRÁFICA SOBRE PAPEL PÓLEN SOFT DA
SUZANO S.A. PARA A EDITORA SCHWARCZ EM JULHO DE 2021

A marca FSC® é a garantia de que a madeira utilizada na fabricação do papel deste livro provém de florestas que foram gerenciadas de maneira ambientalmente correta, socialmente justa e economicamente viável, além de outras fontes de origem controlada.